MARINERO EN TIERRA
LA AMANTE
EL ALBA DEL ALHELÍ

clásicos ⬭ *castalia*

RAFAEL ALBERTI

MARINERO EN TIERRA
LA AMANTE
EL ALBA DEL ALHELÍ

Edición,
introducción y notas
de

ROBERT MARRAST

QUINTA EDICIÓN

clásicos ⬯ *castalia*

Madrid

Copyright © Editorial Castalia, S. A., 1972
Zurbano, 39 - 28010 Madrid - Tel. 319 58 57

Cubierta de Víctor Sanz

Impreso en España - Printed in Spain
Unigraf, S. A. Móstoles (Madrid)

I.S.B.N.: 84-7039-042-2
Depósito Legal: M. 24.107-1990

SUMARIO

INTRODUCCIÓN
BIOGRÁFICA Y CRÍTICA

A mi mujer
R. M.

RAFAEL ALBERTI EN LA PRIMERA ÉPOCA DE SU VIDA
Y SU POESÍA

EN las amarillentas páginas de la *Revista portuense,* encontramos la siguiente noticia, publicada en el número del martes 23 de diciembre de 1902, que copiamos al pie de la letra:

"Bautismo. El domingo a las dos de la tarde de manos del sacerdote don Ricardo Luna, recibió el agua bautismal un hijo de los Sres. de Alberti (D. Vicente).

Se le impuso al recién nacido los nombres de Rafael, Valentín, Ramón, Ignacio, Tomás de Ntra. Señora de Belén de los Sagrados Corazones de Jesús y de María de la Santísima Trinidad; apadrinándole sus tíos D. Agustín Merello y doña María Alberti.

Concluida la ceremonia fue llevado al camarín de Nuestra Amantísima Patrona, y colocado bajo su real manto.

De la Iglesia se trasladaron todos los concurrentes del acto, al domicilio de los señores de Alberti, donde fueron espléndidamente obsequiados con selectos vinos fiambres pastas y dulces.

Además de los individuos de la familia asistieron los Sres. García (D. D.) y Luna (D. R.) Sres. de la Cuesta (don J. L.) Tosar (D. M. y D. J.) Pastor (D. G.) Muñoz Seca (D. F.) y Martínez (don N.) y Cárdenas".

Rafael es el quinto de los seis hijos que tuvieron María Merello y Agustín Alberti, ambos de lejano origen italiano, para mayor precisión de Liguria. Hacia 1350, la familia Merello se instala en Génova; Giovanni Merello, capitán de galeras de Cerdaña en 1393, es comisario de las obras del puerto en 1412; Leonardo, senador de la república en 1602; el *comendatore* Angelo, primer presidente de la Audiencia territorial, marqués de Merello en 1890. Desde fines del siglo XIV hay también algunos Alberti famosos: Manuel, alcalde de Diano en 1383; Andrés, *podestá* de Piere di Teso en 1486; el famoso arquitecto Leon Battista (1404-1472); Luis María, garibaldino, que plantó en Nueva Guinea la primera bandera italiana.[1] Otro garibaldino fue Tomasso Alberti y Sanguinetti, muerto en 1916, y al que su sobrino segundo Rafael dedica unas cariñosas páginas en sus memorias.[2]

Los abuelos y tíos segundos del poeta habían sido dueños de importantes viñas y bodegas, y proveedores de las cortes de Suecia, Rusia, Dinamarca y Noruega. Pero con el tiempo se fue extendiendo el imperio de los negociantes extranjeros, los Domecq, Burdon, Pemartín, Byass, y Osborne, que vinieron a establecerse en la región de Cádiz y Jerez, de modo que el padre del poeta ya no fue representante de sus propios vinos, sino agente general en España de la casa Osborne. "Mi madre —recuerda Alberti— vivía sola casi siempre, porque mi padre [...] andaba viajando por Madrid, Galicia, San Sebastián, Bilbao ..., pasándose, a veces, sin volver por casa más de año y medio. Puedo afirmar que no lo traté ni supe cómo era hasta en los últimos años de su vida, ya trasladados todos a Madrid. Creo que mi madre en este tiempo de mi infancia fue una

---

[1] Datos facilitados por D. José Ignacio Merello, primo hermano del poeta, al autor en Puerto de Santa María, 1964. Es posible que figuren otros en el libro de G. de Gubernatis, *Istoria genealogica della famiglia Alberti*, publicado en Italia en 1713, que no conocemos.

[2] AP, pp. 89-93. (Véase p. 75, el índice de las siglas utilizadas en la presente edición.)

mujer graciosa, aunque algo triste, seguramente a causa de su juventud en continua separación matrimonial y descenso económico". [3] Muy devota, pero de una fe religiosa "inocente, popular", conocía las flores y sus leyendas, cuidaba con cariño las plantas del patio de la casa. "Era, por todo esto, una mujer rara y delicada, que tanto como a sus santos y sus vírgenes amaba las plantas y las fuentes, las canciones de Schubert, que tocaba al piano, las coplas y romances del sur, que a mí solo me trasmitía quizás por ser el único de la casa que le atrayeran sus cultos y aficiones". [4]

Entonces fue cuando empezó en la vida del joven Alberti "el verdadero y tiránico reinado de los tíos" que en ausencia del padre vigilaban los pasos del niño y le espiaban continuamente: "En todas partes me los encontraba. Salían, de improviso, de los lugares más inesperados: de detrás de una roca, cuando, por ejemplo, convertía la clase de aritmética en una alegre mañana pescadora entre el castillo de la Pólvora y Santa Catalina, frente a Cádiz; o tras una pirámide de sal, la tarde que el latín me hacía coger la orilla de los pinos, en dirección a San Fernando. Tíos y tías por el norte, por el este, por el oeste, por el sur de la ciudad y a cualquier hora". Entre estos tíos y tías, "beatos, maniáticos, borrachines, ricos, pobres, terribles", [5] el tío abuelo Vicente vivía en una casa que se iba derrumbando con el tiempo, y en la que su hija Josefa, solterona, había abierto una escuela para los gitanos y los pobres. Tío Vicente había viajado mucho, y le contaba al niño numerosas anécdotas de sus andanzas por Europa hasta Rusia; también empezó a enseñarle inglés y, sin que el joven Rafael se diese cuenta, trató de infundirle su odio a los masones, Voltaire y Émile Zola. Este hombre rarísimo y excéntrico reaparecería varias veces en la poesía y el teatro de Alberti: él y su hija son personajes del drama *De un momento a*

3 AP, p. 20.
4 AP, p. 22.
5 AP, p. 15.

otro (1938-1939), en el que pone en escena la comida que la tía Josefa daba a los pobres, tema que también se encuentra en el tercer acto de *El Adefesio* (1943); y años antes, le dedicó Rafael su poema *Mi tío Vicente me visita* (1931), [6] donde su figura es el símbolo de una familia cuya herencia, moral, ideas y sentimientos rechaza entonces con fuerza el poeta.

Hasta su primera comunión, Rafael Alberti aprende las primeras letras en la escuela de párvulos de las Carmelitas del Puerto; luego su madre le manda al colegio de doña Concha, mujer fea, severa y antipática, que le enseña algo de historia sagrada y de aritmética, y a "pronunciar el catecismo de Ripalda con un cortante acento casi vallisoletano, tan difícil para un niño andaluz". [7]

Poco después, en 1913, Alberti ingresaba en el Colegio de San Luis Gonzaga, dirigido por la Compañía de Jesús en el Puerto de Santa María, del que habían sido alumnos, años antes, Juan Ramón Jiménez y Fernando Villalón. A consecuencia de acontecimientos políticos, a mediados del siglo XIX, los padres del Colegio habían tenido que refugiarse en casas de familias ricas de Cádiz y su bahía, entre ellas la del futuro poeta. "En agradecimiento a aquella labor encubridora de los ricos —cuenta— decidieron abrir los S. J., tan sólo para los muchachos portuenses, un externado gratuito, que fue adonde me llevó mi madre y donde tuve que soportar, junto a ocios y rabonas reveladores, humillaciones y amarguras que hoy todavía me escuecen [...] El externado formaba una división aparte, separada su sala de estudio. Nuestro contacto con los internos era sólo a las horas de clase, que celebrábamos conjuntamente". Al niño le duelen mucho las diferencias marcadas entre los alumnos ricos (internos) y los pobres (externos)

---

[6] Véase el texto de este poema (publicado en *La Gaceta literaria* del 15 dic. 1931, y no recogido en libro) y su comentario en el art. de G. W. Connel, "The end of a quest: Alberti's *Sermones y Moradas* and three uncollected poems", *Hispanic Review*, XXXIII, 1965, pp. 290-309. Y también AP, pp. 26-30.

[7] AP, p. 32.

como él: imposibilidad para estos últimos de alcanzar las altas dignidades en la jerarquía de tipo mlitar del colegio; interdicción de llevar el uniforme y la gorra con galones de oro; diplomas de cartulina escritos a máquina y no de pergamino como los de los internos. "Allí —recuerda el poeta— sufrí, rabié, odié, amé, me divertí y no aprendí casi nada durante cerca de cuatro años de externado". [8]

A los once años, como todo buen niño andaluz, sueña el niño Alberti en la gloria de los toreros. En compañía de algunos alumnos del Colegio, entre ellos, Juan Guilloto, el futuro General Modesto (1906-1909) de la guerra civil, y de un gitano apodado "La Negrita", visita muchas veces un ejido, situado a espaldas del colegio, donde pacen los torillos de su tío José Luis de la Cuesta, pero pocas veces logran burlar la vigilancia de los zagales. "Cuando la corrida podía verificarse, consistía entonces en unos desordenados chaquetazos, varios revolcones con pateaduras, traducidos luego en indisimulables agujetas y negros cardenales. Aquellos golpes y magulladuras, a pesar del callado dolor que nos causaban, eran nuestro orgullo. Pensábamos en las grandes cornadas de los famosos matadores, recibidas entre un delirio de abanicos y aplausos por los ruedos inmensos". [9] Un día, un alumno sentado detrás de él en la clase descubrió la coleta que le dejara crecer en broma el peluquero, y su risa la denunció al padre profesor. Cortado con un cortaplumas, el glorioso mechón fue a parar al cesto de los papeles...

Durante su primer año de colegio, Rafael Alberti fue un alumno ejemplar: devoto, estudioso, puntual y respetuoso, muy aficionado a la historia. Pronto llegaría el aburrimiento, la nostalgia de los juegos en las playas y las arboledas que a través de los cristales del austero edificio se ofrecían lejanas y tentadoras a los ojos de los distraídos muchachos: "¡Las dunas! Durante las rabonas, que decidí conocer y disfrutar

8 AP, pp. 35-39.
9 AP, p. 44.

—recuerda Alberti— a principios del tercer año, ellas fueron, con su arena dorada y movediza, mi refugio ardoroso, mi fresca guarida, mientras las duras horas de las matemáticas y los rosarios del atardecer. Bajo unos árboles como verdes bolas, que por allí llaman transparentes, quizás a causa de lo separado y largo de sus ramas, sólo pobladas en los extremos, nos instalábamos, tomándolos por tiendas. ¡Alegres bienteveos desde donde, enterrados los libros y la ropa, bajábamos a la orilla ya desnudos, libres de teoremas y ecuaciones! ¡El mar de Cádiz! ¡Qué armonía, qué rayadora claridad me traen estas palabras! [...] Sólo los niños ciegos, buenos y tontos del colegio no han conocido aquellas horas radiosas, llenas de viento y sales, tembladoras del blanco de las salinas hacia Puerto Real y la Isla, suficientes para empapar toda la vida de una infinita luz azul, ya imposible de desterrarla de los ojos". [10] Pero estas escapadas se hacían cada vez más peligrosas, por la presencia de los tíos o tías que inopinadamente tropezaban, en el camino de Mazzantini, la carretera de Jerez o la de Puerto Real, en el paseo de la playa, con el sobrino que prefería a las clases el aire libre y el mar.

Empezó por entonces a despertarse en el joven Rafael la vocación de pintor. Su primer modelo, el "Balvanera", que figuraba en un cartel de la Compañía Transatlántica. "Cada día —dice Alberti— me gustaban menos los libros, estudiar. En clase, y durante varias semanas, me pasé llenándoles los márgenes blancos de pequeños Balvaneras, seguidos melancólicamente por una abierta V de gaviotas. Las rabonas aumentaron. Mientras que en casa, después de la fingida vuelta del colegio, me dedicaba a copiar exactamente el anuncio del barco, en la playa o por la orilla del Guadalete iba llenando las hojas de un cuaderno con acuarelas y dibujos de paisajes marítimos, levantando generalmente al fondo de ellos la relumbrante sal de las salinas, pe-

[10] AP, pp. 48-49.

trificada en pirámides, los castillos de Santa Catalina y de la Pólvora, sin faltar nunca Cádiz, diluido entre mástiles y humos de chimeneas". [11]

Los juveniles ensayos pictóricos de Rafael entusiasmaron a su tía abuela Lola, que también pintara en sus ratos perdidos. La admirativa señora le regaló su paleta y sus colores, le enseñó a distinguirlos y nombrarlos, y le hizo copiar algunos de sus propios cuadros. En casa de la tía, pudo ver en el semanario *La Esfera* las reproducciones de lienzos famosos pero para él entonces desconocidos del Museo del Prado. Al poco tiempo, corrió la profecía, repetida en la familia con más o menos entusiasmo: "Este niño será un Murillo". Rafael descubre así a Velázquez, y copia el retrato del príncipe Baltasar Carlos. Es la época de la gran guerra europea, y el semanario publica "unos horrendos dibujos bélicos firmados por un tal Matania" que imita el joven Alberti, despertándose en él "el estúpido deseo de jugar a la guerra". [12] Con soldados de papel recortados y balas hechas con cápsulas de plomo de botellas, reconstituyen Rafael y su hermana Josefa, llamada Pipi, los combates descritos o reproducidos en *La Esfera*; ella es Francia, él Alemania. "¡Detestable juego —comenta el poeta en sus memorias— cuyo recuerdo se me fue transformando con los años, hasta llegar a sentirlo hoy como una negra mancha de sangre verdadera, charco triste en mitad de mi clara niñez andaluza!". [13]

Andaba enamorado por entonces (principios de 1917) el joven de una niña de su edad llamada Milagritos Sancho; con Treviño, otro alumno del Colegio que compartía esta platónica y tímida pasión infantil, trataron un día de escalar la terraza de la casa inmediata a la de la chica para hablar con ella. Pero los ladridos de un perro denunciaron a los audaces que tuvieron

11 AP, p. 69.
12 AP, p. 73.
13 AP, p. 74.

que retirarse avergonzados entre las burlas de los ve-
cinos. Delatada su escapada por la tía Tití al Prefecto
del Colegio de jesuitas, fue expulsado Alberti del establecimiento. Entonces pudo dedicarse libremente a sus
paseos y correrías en compañía de *Centella,* la perra
querida venida al mundo el mismo día que él. "¡Días
de libertad, sin embustes al regresar a casa! ¡Desnudas
horas anchas, con la marea subiéndome hasta el pecho,
sin aquel miedo al anteojo del salón de Física, a las
llamadas sinuosas del Padre Espiritual o a las ofensas
humillantes del Prefecto!". [14]

Corta fue aquella época de libertad y despreocupa-
ción. Desde hacía algún tiempo, en la familia de Vicente Alberti y María Merello se venía hablando de
un próximo traslado a Madrid, que se verificó por fin
en la primavera de 1917.

"... Y me veo, todavía en los ojos mal dormidos el
deslumbre fugaz de la Giralda sevillana, en la plaza
de Atocha, de Madrid. Mayo de 1917. ¡Desilusión y
tristeza! Mañana gris, sin sol, de ese finísimo plata
madrileño, que supe querer luego, pero que en aquel
día de la llegada me pareció el negro más desesperan-
te. ¡Dios mío! Yo traía las pupilas mareadas de cal,
llenas de la sal blanca de los esteros de la Isla, tras-
pasadas de azules y claros amarillos, violetas y verdes
de mi río, mi mar, mis playas y pinares. Y aquel rojo-
ladrillo de chatos balconajes oscuros, colgado de go-
teantes y sucias ropas que me recibía, era la ciudad
—¡la capital de España!— que osaba mi familia cam-
biar por el Puerto. ¡Traernos a vivir a esta carbonera!
La casa que ya nos tenía alquilada mi padre se encontraba no lejos de la estación del Mediodía, en la
misma calle de Atocha. Nuevo motivo de desilusión". [15]
Al ver trocados el soleado patio de los juegos, las playas y dunas de las carreras y los baños, el mar, la luz
y la cal del paisaje de su infancia, por una ciudad

[14] AP, p. 94.
[15] AP, p. 102.

de calles ruidosas y el trajín de los coches y los tranvías, la desesperación de Rafael Alberti es tal que al pronto declara que quiere volver al Puerto con su hermana Pipi. Este cambio radical en la vida del futuro poeta abrió en su sensibilidad una profunda herida de la que, años más tarde, brotarían las canciones de *Marinero en tierra,* inspiradas en la nostalgia de su Andalucía marítima. Pero de momento no piensa en la poesía; cada día se afirma más su vocación: quiere ser pintor. Promete a sus padres examinarse del cuarto año de bachillerato en junio o septiembre de 1918, y, a cambio de esta promesa, consigue unas pesetas para comprar útiles de dibujo, una caja de colores y un caballete. Con su carbonilla y su papel, acude todos los días al Casón para copiar las más célebres estatuas reproducidas allí en escayola: la Victoria de Samotracia, el Discóbolo, el Apoxiómeno de Lísipo, el grupo de Laocconte, el Hércules, las Venus de Milo y de Médicis. Poco después, decide probar una cosa más difícil: copiar cuadros del Museo del Prado. Es, para él, un asombroso descubrimiento, que describiría años más tarde en uno de los poemas de *A la pintura*:

¡El Museo del Prado! ¡Dios mío! Yo tenía
pinares en los ojos y alta mar todavía
con un dolor de playas de amor en un costado,
cuanto entré al cielo abierto del Museo del Prado.

¡Oh asombro! ¡Quién pensara que los viejos pintores
pintaron la Pintura con tan claros colores,
que de la vida hicieron una ventana abierta,
no una petrificada naturaleza muerta,
y que Venus fue nácar y jazmín transparente,
no umbría, como yo creyera ingenuamente! [16]

En el Puerto, Rafael Alberti había visto sólo malas reproducciones o paisajes de colores apagados; al poder contemplar los originales, se le revelaron en Tiziano, Velázquez, Rubens, Zurbarán y Goya todos los rojos,

[16] PC, p. 613.

rosas, blancos, oros y azules, torpemente oscurecidos en las estampas de *La Esfera*. Descubrió en el Prado las carnosas mujeres de Rubens, los seres mitológicos que pueblan los bosques y los paisajes: Dianas, Pomonas, Gracias, Ninfas y Faunos; la dorada claridad de Tiziano, la luz y armonía de Veronés y Tintoretto, los juegos de sombras de Zurbarán, del que copió un San Francisco muerto, antes de empezar, sin terminarla, una reproducción de *La Gallina ciega* de Goya. De su nueva casa de la calle Lagasca, 101, salía muy temprano el adolescente para ir a llenarse los ojos con las obras maestras de los grandes pintores, para quienes crecía su entusiasmo. Con otro joven de su edad —hijo de un basurero y llamado Servando del Pilar— siguió trabajando en el Casón y en el Prado, paseaba por las calles para tomar apuntes del natural; a veces, los dos muchachos pasaban tardes y hasta noches enteras en la habitación de Alberti, soñando en su futuro triunfo pictórico.

En la "leonera" del aprendiz de pintor, también hay libros: poesías de Amado Nervo, Rubén Darío, Bécquer, Juan Ramón Jiménez, cuya admiración comparte con su hermana Pepita y dos amigos que empiezan a escribir versos, Manuel Gil Gala y Celestino Espinosa.[17] Rafael no piensa todavía seguir su ejemplo. Influido por unos paisajes pintados con luz de luna que había visto en una exposición, sale sigilosamente por la noche de la casa de sus padres para ir a pintar la Puerta de Alcalá bajo el plenilunio, o rincones de las afueras de Madrid. De día, instala su caballete en el Retiro o el Jardín Botánico, en las alturas de la Moncloa, a orillas del Manzanares, en el cementerio abandonado de Santa Engracia.

Al principio de 1919, Rafael vuelve a su tan añorado Puerto con su hermano Vicente; allí pinta algunos paisajes, pero su cuadro del claustro de la Cartuja de

---

[17] Rafael Alberti les dedicó unos poemas de MET (véase p. 106 y p. 133).

Jerez, ejecutado según una técnica a lo Paul Signac, provoca comentarios poco favorables de parte de sus tíos y primos. Además, había pasado el tiempo, y allí, "en todo lo que no era el aire, el sol, el mar, el río, las casas, los pinares había caído como un polvo amarillo que lo bañaba de una melancolía de flor a punto de doblarse", comenta el poeta. "Lo que al regresar a Madrid sentí de nuevo por el Puerto fue la aguda nostalgia de sus blancos y azules, de sus arenas amarillas pobladas de castillos, de mi infancia feliz llena de transatlánticos y veleras al viento relampagueante de la bahía". [18]

Alberti ya es todo un adolescente, seguro de su vocación, esbelto y pálido. "Muy escuálido andaba yo entonces, sintiendo, aunque me los callaba, los síntomas primeros de la enfermedad que años más tarde iba a marcar en parte un nuevo rumbo a mi vida. Un desasosiego inexplicable, un tormento angustioso, lleno de insomnios y pesadillas nocturnas se había apoderado de mí, quitándome la tranquilidad y quizá oscureciendo mi sana alegría". [19] Varias veces pierde el conocimiento en medio de la calle; para que recobre su salud, le mandan a San Rafael de Guadarrama en compañía de su padre, enfermo del pulmón a consecuencia de la gripe "española"; con él también va un poco más tarde a Málaga, hospedándose en casa de su tío Guillermo, familiar del obispo de la diócesis. En la sierra y en el puerto andaluz, sigue dibujando y pintando. En Málaga, conoce a Luis Altolaguirre, hermano de Manuel, y al viejo poeta Salvador Rueda, ya olvidado y nostálgico sin rencor de su pasada gloria. "Guardaba conciencia —dice Alberti— de su papel como precursor del modernismo poético, reconocido generosamente por Rubén Darío, quien le dedicara a finales de siglo dos magníficos y chisporroteantes poemas.

18 AP, pp. 120-121.
19 AP, p. 122.

Me dijo que la voz del parnaso moderno era de mujer. ¿Nervo? ¿Villaespesa? ¿Jiménez? Poesía femenina". [20]

De regreso a Madrid, Rafael estudia algunas asignaturas del cuarto y quinto año de bachillerato, pero D. Mario Méndez Bejarano le suspende en preceptiva literaria, porque no entendía nada de las figuras de retórica y el galimatias del pedante libro de texto. Animado por sus amigos Gil Cala y Espinosa, Alberti empieza a leer cuantos libros puede comprar en las tiendas de viejo: tomos de la colección "Prometeo" editada en Valencia por Blasco Ibáñez, de *novellieri* italianos, de trágicos y cómicos griegos, de Teócrito, de Homero. Espinosa le lleva a los conciertos de Price, al estreno de *Iberia* de Debussy; una señora italiana, esposa del arquitecto del Teatro Real, le invita a su palco, y el joven Rafael puede conocer las óperas de Puccini, asistir a la primera representación del *Tricornio* de Falla, y a los programas presentados por la compañía de ballet ruso de Diaghilev. En aquel período de su vida, empiezan a tomar más fuerza los síntomas de enfermedad: visiones, pesadillas, terrores nocturnos pueblan sus febriles paseos por las calles de Madrid. Aunque la literatura le apasiona cada día más, su afición al arte no decae. Gracias a Gil Cala, conoce al malogrado escultor Julio Antonio, cuyo taller visita con frecuencia; también a Daniel Vázquez Díaz, y, en el estudio de éste, a los franceses Sonia y Robert Delaunay, a los polacos Jhal y Paskiewicz. Unos años más tarde, Alberti publicará un artículo (el primero en prosa) sobre el pintor de Huelva, [21] el cual dibujará el retrato que figura en el frontispicio de la primera edición de *Marinero en tierra*. Gracias a Vázquez Díaz, Alberti expuso sus primeros cuadros en el Salón de Otoño: sus obras provocaron carcajadas y burlas, y una caricatura en la *Gaceta de Bellas Artes,* cosa que

---

[20]   AP, p. 125.
[21]   "Paisajes de Vázquez Díaz", *Alfar* (La Coruña), núm. 41, jun.-jul. 1924, pp. 8-11; reproducido en R. Alberti, *Prosas encontradas*, rec. y present. por R. Marrast, Madrid (1970), pp. 19-22.

el joven pintor consideró como un halagüeño presagio de su entrada en "el mundo del arte".

El año 1920 es un momento decisivo para Alberti. En marzo, muere su padre, y la desgracia le sugiere su primer poema. "Desde aquella noche —escribe en sus memorias— seguí haciendo versos. Mi vocación poética había comenzado. Así, a los pies de la muerte, en una atmósfera tan fúnebre como romántica".[22] Sigue escribiendo versos, influidos por los de León Felipe que oyera por entonces recitar por su autor en el Ateneo. Su hermano Vicente le invita a colaborar en su negocio como corredor de la casa Osborne, y entonces recorre algunos pueblos de Castilla la Nueva, pero ... "Al poco tiempo, una noche, estando en los Altos del Hipódromo con una media novia que tenía, sentí un raro gusto a metal en la boca. Saqué el pañuelo y lo teñí de sangre. Me callé. Volví a casa, muerto de escalofríos [...] Me llevaron al doctor Codina, un especialista en enfermedades de pulmón. Diagnosticó después de un análisis de saliva y una radiografía de la caja torácica: 'Adenopatía hiliar con infiltración en el lóbulo superior del pulmón derecho'. Aquella larga relación de mi mal me gustó mucho. Dediqué unos poemas, que llamé *Radiográficos,* a mi pobre pecho vencido".[23]

En los meses de reposo forzado que siguieron, va arraigando la nueva vocación, la de la poesía. Cuadros y dibujos no le bastan a Alberti para expresar sus sensaciones y sentimientos, mientras las palabras, con gran sorpresa suya, brotan variadas y ricas bajo su pluma. También lee mucho: la *Antología poética* de Juan Ramón, las *Soledades, galerías y otros poemas* de Machado en la "Colección Universal", las revistas de vanguardia, entre ellas *Ultra,* que le revelan las obras de Gerardo Diego, los hermanos Rivas Panedas, Ciria y Escalante, Borges, Ivan Goll, Jules Romains, Apollinaire,

---

[22] De este poema, Alberti recuerda sólo algunos versos que cita en AP, p. 141, y que reproducimos en el *Apéndice primero,* p. 263.
[23] AP, pp. 146-147.

Max Jacob, Guillermo de Torre. Envía un poema a *Ultra*; no contesta la revista al espontáneo.

Desde mayo hasta octubre de 1921, Alberti reside en San Rafael de Guadarrama, donde recobra poco a poco su salud; sigue escribiendo "como un loco", según sus propias palabras, "versos muy diferentes de los lanzados a la moda por los ultraístas, aunque naturalmente con algo del desconcierto de ellos".[24] Algunos amigos le visitan; un día, el pintor Gregorio Prieto le trae el *Libro de poemas* de Federico García Lorca. Es interesante subrayar que le entusiasmaron las poesías de tono y corte popular, pareciéndole en cambio demasiado académicas y monótonas otras, tales como la *Elegía a Doña Juana la Loca,* o en las que se notan recuerdos de Zorrilla o Villaespesa. Juicio que revela la dirección que iba a tomar la inspiración de Alberti, después de sus primeros ensayos, en que aparecen todavía, inevitablemente, rastros de influencias ultraístas que pronto desaparecerán por completo. Se nota muy bien esta evolución leyendo las poesías de lo que él mismo llama su "prehistoria poética", y de las cuales sólo algunas se publicaron en *Horizonte* (1922) y *Alfar* (1924).[25] Las de 1920-1921, las juzga hoy, con razón, Alberti "además de puros e inocentes, de un vanguardismo reposado, sereno, del que sólo conservan —aunque no siempre— cierta disposición tipográfica de los versos y la ausencia total de puntuación [...] Y aquí están los abetos de la íntima glorieta, con su pequeña historia, girando bajo la luna. Los poemillas graciosos de la niña vecina de mi casa, que me traía dibujos y yo le respondía regalándole un ratoncillo mecánico lleno de ojos de colores. El discurso burlón de cuando una vez se me antojó ser burro, divertimiento que ya parece presentir algún poema escénico del libro *Yo era un*

24 AP, p. 151.
25 Véanse los dos primeros artículos de nuestra *Noticia bibliográfica.* Los juicios sobre estas primeras poesías que a continuación reproducimos están sacados del prólogo del poeta a sus *Poesías anteriores a "Marinero en tierra" 1920-1923,* en CAVA, pp. 193-196.

tonto..." A principios de 1922, Juan Chabás quiere organizar una exposición de los cuadros de Alberti en el Ateneo. El poeta acepta, pero sin gran convicción: "Vueltos los cuadros a mi casa, sentí un inmenso alivio. Me parecía haber hecho una confesión pública de todos mis pecados, purificando mi conciencia, disponiéndola, ya sin remordimientos, en estado de gracia, a lo más recio de la lucha por alcanzar lo que desde hacía tiempo condensaba el único desvelo de mis noches", [26] es decir la poesía. De sus versos inmediatamente anteriores a los que formarían su primer libro, el poeta escribe: "Los poemas de 1922 [...] forman ya una unidad en técnica y espíritu. Más cerca sin duda del creacionismo (Reverdy, Huidobro, Gerardo Diego), aparecen en ellos imágenes marinas, cielos como telones estrellados hendidos de cohetes y cometas, balcones, ángeles, frutales y hasta algo de aquella melancólica nostalgia que habría de agudizarse plenamente en las canciones del marinero arrancado de su mar gaditana [...] Yo casi me despedí aquel año de mi ya angustiosa vocación pictórica para perderme, con un pulmón averiado, entre las cumbres del Guadarrama y continuar allí mi decidida vocación poética con poemas muy diferentes de los anteriores. Al iniciarse 1923, volvería a la puntuación, intentando el romance, la canción de corte musical aún vagamente entrevista en los antiguos cancioneros y con cierto deje juanramoniano, cayendo al fin —¡oh todavía imperdonable delito!— en el soneto [...]". Desde entonces, ya no sueña más en ser pintor; sólo dará a conocer algunos dibujos (para ilustrar la segunda edición de *La Amante* en 1929 o el libro de cuentos para niños de María Teresa León, su esposa desde 1931, *Rosa-fría, patinadora de la luna* en 1934), antes de reanudar mucho más tarde con su primera vocación en el destierro argentino.

Por aquel tiempo, aumentan sus amistades literarias: Dámaso Alonso, que acaba de publicar sus *Poemas*

[26] AP, p. 157.

puros. Poemillas de la ciudad y hace descubrir a Alberti
Gil Vicente, cuya influencia impregna tantos versos de
Marinero en tierra y *El Alba del alhelí*; Vicente Aleixandre, con quien Alberti se encuentra muchas veces
en la plataforma del tranvía número 3. Nuevos descu-
brimientos también: los grandes escritores rusos —Go-
gol, Goncharov, Korolenko, Dostoyevski, Chejov, An-
dreiev— gracias a su tío Luis, empleado en la casa
Calpe, que proveía a su sobrino de volúmenes de la
"Colección Universal". Durante el verano de los años
siguientes —1922 a 1924— Alberti vuelve a pasar una
temporada en San Rafael de Guadarrama, y entonces
es cuando empieza a escribir los poemas que piensa
recoger en un libro titulado *Mar y tierra* (que, al pu-
blicarse, se llamará *Marinero en tierra*). Influido por
el *Cancionero* de Barbieri, compone canciones en que
se combinan la inspiración popular y la expresión
culta. Cabe observar que lo primero que escogió Alberti fue siempre el título de un libro de poemas, según
dice él mismo en sus memorias: "Desde mis días iniciales, pretendí que cada una de mis obras fuese enfo-
cada como una unidad, casi un cerrado círculo en el
que los poemas, sueltos y libres en apariencia, comple-
taran un todo armónico, definido". [27] Conviene subrayar
la importancia de esta frase, que representa el fundamento de la estética de Alberti poeta. Podemos decir
que su actitud es semejante a la de un pintor que primero fija los límites espaciales del cuadro que se propone pintar, sea paisaje, retrato o naturaleza muerta.
Escogido el tema de la composición, elige los detalles
que le permitan desarrollar los motivos que encuadren
en el tema general. Aquí tenemos una de las constantes
de la poesía de Rafael Alberti, desde sus primeras obras
hasta las últimas (y pensamos, por ejemplo, en *A la
Pintura, Baladas y Canciones del Paraná,* o *Roma, peligro para caminantes*). Está bien claro pues que él se
impone un marco determinado dentro del cual pueda

[27] AP, p. 188.

dar campo libre a su inspiración. Así se explica que, en ediciones sucesivas, algunos poemas de *El Alba del alhelí* hayan pasado a *Marinero en tierra* por razones de unidad. [28]

Alberti insiste sobre este importante aspecto de su técnica cuando explica, en sus memorias, la génesis de su primer libro: "Como su nombre daba a entender, *Mar y tierra* se dividía en dos partes. La primera agrupaba los poemas debidos directamente a la serranía guadarrameña, junto a otros de diversa temática, y la segunda —que titulaba *Marinero en tierra*—, los que iba sacándome de mis nostalgias del mar de Cádiz, de sus esteros, sus barcos y salinas [...] Lejos andaba yo por aquellos días de toda ingerencia o desorden ultraísta, persiguiendo una extremada sencillez, una línea melódica clara, precisa, algo de lo que Federico García Lorca había ya conseguido plenamente en su *Baladilla de los tres ríos*. Pero mi nueva lírica naciente no sólo se alimentaba de canciones. Abrevaba también en Garcilaso y Pedro Espinosa. (Góngora vendría luego) [...] A los ultraístas, que suponían una violenta y casi armada reacción contra las formas clásicas y románticas, escribir un soneto les habría parecido cometer algo peor que un crimen. Y eso hice yo, poeta al fin y al cabo más joven, libre, además de desconocido". [29] No es éste el lugar de hacer el balance del ultraísmo, cuyos manifiestos y teorías resultan bastante confusos. Se debe a los representantes del movimiento el haber liberado la poesía de su lastre modernista o post-romántico para lanzarla en vías nuevas. "El ultraísmo —escribía Gerardo Diego en 1929— espantó el miedo a la audacia, y si los poetas aparecidos luego han encontrado un ambiente propicio, se debe en parte a la iconoclasta labor de los poetas de *Grecia*". [30] El mo-

---

[28] Véanse la *Nota previa*, pp. 71-74, y el *Apéndice segundo*, pp. 265-271 y 272-280.

[29] AP, p. 167.

[30] "La nueva arte poética española", *Síntesis* (Buenos Aires), año II, núm. 20, ene. 1929, p. 185.

vimiento enseñó a los poetas el desprecio a lo anecdótico, a los nexos retóricos, el culto a la imagen y la
metáfora, la "abolición de los tubejos ornamentales, el
confesionalismo, las prédicas y la nebulosidad rebus-
cada", según frase de Jorge Luis Borges.[31] Pero con
todo esto, la poesía corría el peligro de deshumanizarse
completamente, de estancarse en las aguas no menos
turbias de una nueva retórica, peligro de que se sal-
varon a tiempo Gerardo Diego y Juan Larrea. Había
que rechazar con urgencia, por impuras y adoptadas
las más de las veces sin otra necesidad que la de po-
nerse deliberadamente a tono de los movimientos euro-
peos contemporáneos, las influencias ya sobrepasadas
del cubismo y del dadaísmo, cuya atropellada adopción
e imitación llegaron a hacer escribir versos tan vana-
mente rebuscados —y no menos que algunos de Rubén
Darío, tan vilipendiado por los ultraístas— como éstos:

Verticilo iridiscente de la roja rosa cósmica.
Su trémula corola irradia estelarmente un haz de tensos
　　　　　　　[filamentos bermejos como reófonos eréctiles.

o ésos:

　　　Una caravana de pinos en éxtasis
　　　iconifica al paisaje nómada.[32]

Acaba por rayar en lo absurdo tal intento de construir
asociaciones de imágenes inconexas con un lenguaje
tan falto de sencillez y un vocabulario deliberadamente
cargado de neologismos y palabras raras. La laborio-
sidad forzada de este tipo de poesía (exceptuamos, sin
embargo, la de Huidobro, Larrea y Diego), aunque a

---

31 Citada por Guillermo de Torre en *Literaturas europeas de vanguardia*, Madrid, 1925, p. 60. Véase el libro de Gloria Videla, *El
ultraísmo. Estudios sobre los movimientos de vanguardia en España*,
Madrid (1963).
32 Guillermo de Torre, *Hélices*, Madrid, 1923, p. 11 y p. 69.

veces tenga intenciones irónicas, denota su carácter
artificial. Años más tarde, llegado el momento de la ce-
lebración de Góngora, Gerardo Diego predicará "la
vuelta a la estrofa", apuntando: "¿Retórica? Evidente:
retórica. Pero todo es retórica, y el huir de ella una
manera de retórica negativa, mil veces más peligrosa". [33]
Ya hacia 1924 presentía Alberti la presencia de este
escollo que, en fin de cuentas, cerraba el callejón sin
salida del ultraísmo; él no consideró vergonzoso escribir sonetos y tercetos. Puede con toda razón decir:
"¿Era yo un desertor de la poesía hasta entonces llamada de vanguardia por volver al cultivo de ciertas
formas conocidas? No. La nueva y verdadera vanguardia íbamos a ser nosotros, los poetas que estábamos a
punto de aparecer, todos aún inéditos —salvo Dámaso,
Lorca y Gerardo Diego— pero ya dados a conocer
algunos en *Índice,* la revista que Juan Ramón Jiménez,
junto con una editorial del mismo nombre, había em-
pezado a publicar", [34] es decir, además de los ya nom-
brados, Jorge Guillén y Pedro Salinas, así como el
brillante ensayista novel José Bergamín.

Entre los poetas españoles, Alberti acude con preferencia a Gil Vicente y los *Cancioneros* de los siglos xv
y xvi. En ellos aprende cómo interpretar los temas populares conservando todo el frescor y la concisión de los
motivos tradicionales, gracias a un vocabulario sencillo,
al uso de exclamaciones, de diminutivos, de repeticiones
caprichosas o encadenadas, de combinaciones paralelís-
ticas, al empleo del estribillo a modo de las vueltas de
villancicos y de la glosa breve de versos tomados de coplas o fórmulas transmitidas por el folklore. Bajo estos
signos nacen las canciones de *Marinero en tierra, La
Amante* y *El Alba del alhelí,* a veces tan sútiles y
menudas que escapan a todo comentario literario o
filológico. Juan Ramón Jiménez había logrado, años

---

33 G[erardo] D[iego], "La vuelta a la estrofa", *Carmen* (Santander-Gijón), núm. 1, dic. 1927.
34 AP, p. 168.

antes, utilizar la forma del romance de una manera
completamente nueva, tomándola no ya como molde de
una temática épica o narrativa, sino como vehículo
de sensaciones exquisitas o efímeras, de sentimientos
matizados. Alberti hace lo mismo con la canción del
Renacimiento, pero mostrando una sensibilidad más
alegre, más juvenil, y nunca enfermiza como lo es, a
veces, la del Juan Ramón de la primera época. Lo que
debe Alberti a estos maestros, lo han estudiado deteni-
damente Eric Proll y Solita Salinas; [35] en cuanto a los
temas y motivos preferidos, el mismo poeta los enun-
cia en sus memorias: "Aquella novia apenas entrevista
desde una azotea de mi lejana infancia portuense se
me fue transformando en sirena hortelana, en labradora novia de vergeles y huertos submarinos. Empavesé
los mástiles livianos de mis canciones con gallardetes
y banderines de los colores más diversos. Mi libro
comenzaba a ser una fiesta, una regata centelleante
movida por los soles del sur [...] Me imaginé pirata,
robador de auroras boreales por mares desconocidos.
Entreví un toro azul —el de los mitos clásicos— por
el arco perfecto de la bahía gaditana, a cuyas blancas
márgenes, una noche remota de mi niñez, saliera yo
a peinar la cauda luminosa del cometa Halley. Vi, soñé
o inventé muchas pequeñas cosas más, sacadas todas
de aquel pozo nostálgico, cada día más hondo, según
me iba alejando de mi vida primera, tierra adentro". [36]

Solita Salinas ha analizado con mucho cuidado la
filiación de los temas de *Marinero en tierra,* la significación de la preferencia por ciertos motivos, y com-
parado la actitud sentimental de Alberti frente al mar
con la de Baudelaire, Rimbaud, y los poetas españoles
desde la Edad Media. [37] Este estudio permite situar per-

[35] E. Proll, *"Popularismo* and *Barroquismo* in the Poetry of Rafael Alberti", *Bull. of Spanish Studies,* vol. XIX, 1942, pp. 59-72;
SSM, pp. 82-97.
[36] AP, p. 171.
[37] SSM, cap. I, *passim.*

fectamente al Alberti de la primera época dentro de una tradición poética, que por cierto no se extingue con él. [38] La última frase citada de Alberti invita a buscar más bien en su propia vida que en fuentes literarias la significación íntima de *Marinero en tierra*. La actitud de Baudelaire y la de Rimbaud son totalmente distintas de la de nuestro poeta. Para ellos, el mar y el viaje simbolizan un anhelo de libertad, fundamento del pleno desarrollo del hombre; constituyen el medio por excelencia de escapar a todas las formas de coacción de una sociedad cuyos valores morales rechazan. El proceso, en el caso de Alberti, es inverso. Lo que él experimenta, es la nostalgia de un mar que ha conocido y es para él un paraíso perdido desde la instalación de su familia en Madrid, "tierra adentro". Parte pues de una experiencia vivida, no sólo soñada, y eso es lo que infunde autenticidad a su poesía, una autenticidad por decirlo así sentimental, y no intelectual como la de los poemas de Baudelaire o Rimbaud. Basta con haber paseado en los paisajes del Puerto y de la bahía de Cádiz y al día siguiente apearse del tren en la estación madrileña de Atocha para comprender lo que expresa Alberti cuando recuerda "aquel pozo nostálgico, cada día más hondo" en sus memorias. En los orígenes de *Marinero en tierra* hay lo que podemos llamar un profundo traumatismo sicológico. El adolescente hasta ahora acostumbrado a un determinado paisaje que identifica con sus días de juegos y libertad considera confusamente el repentino cambio de vida que le impone su familia como un injusto e inmerecido castigo. Alejado del mundo de su infancia, tiende naturalmente a idealizar los recuerdos de aquel mundo, hasta el punto de que, un poco más tarde, le producirá

---

[38] Es interesante notar que en el primer libro de versos de Concha Méndez, *Inquietudes* (publicado en 1926) hay algunas poesías que recuerdan mucho ciertas canciones de MET. Nadie, que sepamos, ha estudiado las posibles influencias albertianas en poetas posteriores (por ej. en José María Morón, injustamente olvidado autor de *Minero de estrellas*, premio nacional de literatura 1933).

cierta decepción su corta estancia en el Puerto de Santa
María. Su primera vocación de pintor le permite, sin
embargo, adaptarse a la ciudad, cuyas calles y alrede-
dores recorre ansiosamente en busca de temas para sus
cuadros y dibujos: pronto se cansa del Casón como
se cansara del Colegio de jesuitas. Durante las largas
horas de obligado descanso que pasa en la Sierra de
Guadarrama, su nostalgia del mar se hace más intensa,
pero pronto se da cuenta de que las palabras expresan
mejor que el lápiz o los colores de la paleta esta nostalgia, porque la poesía le permite reconstruir fácilmente este mundo de la infancia que ya no existe más
que en su memoria, pero que siempre se interpone entre sus ojos y el paisaje en que está viviendo. Entonces
se decantan los recuerdos de los primeros años, crista-
lizándose en material poético con la ayuda de la imaginación. Este proceso de sublimación lleva a Alberti
a reconquistar en el ensueño el mundo (el paraíso) perdido; al reconstruirlo, lo recobra. Como lo dice muy
bien Solita Salinas, "una vez que el poeta tiene conciencia de haber descubierto un orden, una meta, ha
de imponerlo a la realidad, afirmarlo si es preciso contra ella. El recuerdo es, pues, despertado en el mundo
de la sensación presente, pero 'a voluntad', es decir,
porque así lo quiere el poeta, a caballo, dominador de
este mundo suyo entre recuerdo y sensación que ya no
es pasado, ni todavía presente, sino los dos tiempos a
la vez". [39]

La originalidad de Alberti en *Marinero en tierra* con-
siste en tratar "el mar no en su magnitud épica sino
como un tesoro de sugestiones breves, aladas, y gra-
ciosas, como un sartal de cantares marineros" y en

---

[39] SSM, pp. 15-16. Notemos que este tema fundamental del "paraíso perdido" y momentáneamente recobrado, aunque de modo y
con fines distintos, es también el de *El Hombre deshabitado* (ver-
sión moderna y al revés del *Auto de la residencia del hombre*) cuyo
desenlace es una nueva "pérdida del paraíso" por rebelión del protagonista. La relación entre la actitud del personaje teatral y la del
Alberti de 1928-1930 es estrecha y clarísima.

saber "dar al verso castellano la flexibilidad, la elegan-
cia y la gracia de que carece casi, casi, desde nuestro
siglo de oro". [40] El autodidactismo de Alberti, rebelde
en su juventud a las áridas teorías de la historia literaria y de la preceptiva, le ha salvado de la retórica y
del mimetismo, a veces tan pedestre y ramplón, de la
poesía "andaluza" de un Zorrilla o un Villaespesa, del
flamenquismo de un Manuel Machado. Desde los contemporáneos mayores que le eran entonces más fami-
liares (Antonio Machado y Juan Ramón Jiménez), saltó
directamente a los poetas del siglo XVI y de principios
del XVII. Supo recoger la "tradición popular del arte"
y, como Gil Vicente y el Lope de los romancillos, letrillas y cantares, "cazar los aires vivos de la poesía
popular, y no para matarlos, sino para soltarlos otra
vez, llenos de sangre nueva; para devolverlos otra vez
al mismo aire que se los había entregado". [41] Así es
que su poesía no lleva ninguna impronta de cultura
artificial, es decir impuesta por los programas escolares.
Las lecturas del joven Alberti son las de los autores
cuya sensibilidad coincide con la suya propia, lecturas
que hace libremente, por gusto, y que le brindan unos
modos de expresión que corresponden perfectamente a
los temas y motivos encontrados en sus recuerdos o su
imaginación a partir de su personal experiencia. Le in-
teresan los libros por su capacidad emocional: aparte
de Machado y Juan Ramón, *El Humo dormido* de Gabriel Miró (porque le recuerda sus días en el Colegio
del Puerto), *Clásicos y modernos* de Azorín (sin duda
porque éste hace revivir los escritores de los que habla,
sin disecarlos como los tratadistas de historia literaria).
Por otra parte, la novela española no le interesa, porque, según su propia confesión "existía algo en mí que
me impedía ir a su encuentro. Los ensayos filosóficos ...
A distancia, sin conocerlos, me producían sopor. Tal

40 P. Salinas, *Literatura española. Siglo XX*, Segunda ed., México,
1949, pp. 194-195.
41 R. Alberti, *Lope de Vega y la poesía contemporánea*, ed. de
R. Marrast, París (1964), p. 4.

vez en ese momento aquella brutalidad mía me era ne-
cesaria para centrarme únicamente en lo que deseaba,
en lo que estaba a punto de comenzar a exigir con
furia: que sólo se me considerase poeta. Todo lo demás iba a venir después. El tiempo sobraría para llenar
los terribles huecos de mi ignorancia". [42]

El camino de Alberti está ya bien trazado. Y no se
ha equivocado, como se lo confirman los elogios que
recibe de Enrique Díez-Canedo, a quien el pintor Gregorio Prieto le ofrece la oportunidad de leer sus versos; el entusiasmo de Federico García Lorca, que el
mismo amigo le presenta una tarde de octubre de 1924,
y al cual, al cabo de unos días, lleva el cuadro que le
había encargado, además de un soneto, el primero que
escribiera. Gracias a Federico, Alberti penetra en este
hervidero intelectual y artístico tantas veces descrito y
evocado que era la Residencia de Estudiantes. Allí, el
poeta novel se hace amigo de Luis Buñuel, Salvador
Dalí, Pepín Bello, conoce a Pedro Salinas, Jorge Guillén, Moreno Villa. También entonces entra en relación
con el escritor canario Claudio de la Torre, al que dedica su segundo soneto en verso alejandrino. El nuevo
amigo incita a Alberti a presentarse al Premio Nacional de Literatura; al principio, el poeta vacila, pero
poco a poco acaba por convencerse, cantándole en el
oído las palabras de Claudio: "A lo mejor te dan
el premio"...

Un día del invierno 1924-1925, Alberti marcha a
Rute, un pueblo de la sierra de Córdoba, donde vivía
su hermana María, casada con el notario Ignacio Do-
cavo, y en cuya casa pasaría algunos meses. La primera
tarea que allí emprende es copiar a máquina el manuscrito de *Mar y tierra*. Pero ¿quién lo publicaría? La
perplejidad dura poco, pues decide seguir el consejo de
Claudio de la Torre; manda dos ejemplares al escritor
cubano José María Chacón y Calvo, a quien confía el

[42] AP, p. 170.

encargo de hacer llegar uno al Concurso Nacional de Literatura. "Tranquilo —escribe Alberti— aunque no sin ciertos remordimientos de orden moral y estético por haber sucumbido a la tentación de presentarme —como un poetastro cualquiera— a un concurso oficial, eché tierra a mi audacia y me dispuse a comenzar un nuevo libro." Primero necesita un título para dar unidad a las poesías que se propone escribir; halla por fin el de *Cales negras,* "pretendiendo condensar así todo lo oscuro, trágico y misterioso que se escondía bajo la cal ardiente de Rute", pueblo "saturado de terror religioso, entrecruzado de viejas supersticiones populares, solivantado aún más por una represión de todos los sentidos, que a veces llegaba a reventar en los crímenes más inusitados y turbios; pueblo rico, abundante de suicidas y borrachos, de gentes locas que después de invocar a los espíritus vagaban a caza de tesoros por los montes nocturnos". [43] Empieza entonces una nueva serie de canciones, cuya estética define del siguiente modo (observemos, en sus palabras, cómo Alberti aplica siempre una visión de pintor a la temática general de su poesía, determinando primero las tonalidades y contrastes fundamentales y los juegos de luces para encontrar el ritmo que convenga a los nuevos temas): "Aquel color azul de mis playeras y salineras gaditanas aquí no era posible. Era otra la música, más quebrados los ritmos; otros los tonos de la luz; otro el lenguaje. Aun a pesar del sol, la voz tajante, dura de las sombras iba a poner como un manto de luto en casi todo lo que entonces escribiera. De entre las cosas que veía, las que me contaban o adivinaba, iría extrayendo los pequeños motivos, La esencia dramática de mis nuevos poemas: algunos, con verdadero aire de coplas, más para la guitarra que para la culta vihuela de los cancioneros". [44] Este cambio lo produce el descubrimiento de otra Andalucía, la de tierras adentro, la de las hoscas serranías llenas de brutales

[43] AP, p. 188.
[44] AP, p. 189.

contrastes, tan distinta de la Andalucía marítima de la bahía de Cádiz, con sus suaves matices y su paisaje sonriente, alegre, más humano. Así, al "período azul" de *Marinero en tierra* sucede el "período negro y blanco", representado en la segunda sección, titulada *El negro alhelí,* del libro definitivo.

Rafael Alberti recuerda en sus memorias, con mucha precisión, los temas que tomó de la vida en Rute. La serie de poesías tituladas *La Encerrada,* la inspiró una bella muchacha, conocida en el pueblo por este nombre, que solamente salía acompañada para oir la misa del alba porque la secuestraban en su casa su madre y unas tías, y que terminó por suicidarse unos años más tarde. [45] La realidad ruteña inspiró también *La Maldecida, Prisionero* y *La Húngara.* Por la mañana, el poeta sale al campo, y de sus paseos regresa con las canciones del nuevo libro "que, aunque recién comenzado, ya empieza a exigirme —refiere en sus recuerdos— ese cuidado de dibujo, de ceñido perfil, que con el tiempo llegó a ser una de las más claras evidencias de mi obra poética". [46] (Notemos otra vez cómo Alberti sigue aplicando a la creación poética el proceso técnico de Alberti pintor.) Un viaje a un pueblo vecino, dominado por un impresionante castillo abandonado y ruinoso, y donde le cuenta su cuñado que se celebran ceremonias mágicas secretas para descubrir tesoros escondidos, le inspira *Torre de Iznájar,* poesía de un subido tono dramático y negro que por primera vez aparece en las canciones de Alberti, en violento contraste con las anteriores.

Pronto se cansa de la vida en Rute, de la "pueblerina soledad", pero no tiene ni ánimo ni deseo para volver a la capital. Un día, a las ocho de la tarde, su cuñado sube a su cuarto, llevándole un telegrama en que Chacón y Calvo le anuncia que ha podido entregar a tiempo el manuscrito de *Mar y tierra.* A los pocos

---

[45] Véanse las notas correspondientes a estas poesías y las citadas a continuación, pp. 188-191, 209-215 y 218-221.
[46] AP, p. 190.

días de recibida la noticia, "salía, silencioso, de Rute, por el camino de Lucena, en busca del expreso de Madrid". [47]

El 12 de junio de 1925, la *Gaceta* publicó el resultado oficial del Concurso en los términos siguientes:

"Reunido el Jurado del concurso nacional de Literatura 1924-25, acordó por unanimidad elevar a la aprobación de la Superioridad la siguiente propuesta:

Primera. Que se adjudique el premio de 4.000 pesetas, correspondiente al tema primero, "Poesía Lírica", al libro inédito titulado *Mar y tierra* de D. Rafael Alberti.

Segunda. Que se otorgue el premio de 3.000 pesetas, consignado para el tema segundo, "Ensayos y crítica" al trabajo que se distingue con el lema "Virtus omnia" y con el título *Eduardo Rosales*. Abierta la plica que contenía el nombre del autor, resulta ser éste D. Juan Chacón Enríquez.

Tercera. Declara el Jurado que al tema tercero "Teatro" han concurrido obras de grandes merecimientos literarios; pero, a su parecer, ninguna que llegue a ser obra verdaderamente de teatro, y no acomodándose los

---

[47] AP, p. 190. La relación de Alberti en sus memorias (según la cual el telegrama de Chacón y Calvo recibido en Rute contenía la noticia de la concesión del premio nacional) no coincide con lo referido por Gregorio Prieto en su art. "Arboleda encontrada de una adolescencia perdida" (*Papeles de Son Armadans*, año VIII, t. XXX, núm. LXXXVIII, pp. 129-142). El célebre pintor cita una carta fechada en Madrid, 12 de mayo de 1925, en la que Alberti le habla de varias cosas, y entre ellas "de sus éxitos y del futuro Premio Nacional de Literatura". La carta contiene estas frases: "Ya hace mes y medio que estoy en Madrid. En Andalucía trabajé mucho [...] Para junio se sabrá el fallo del concurso nacional. Se dice, desde hace mucho tiempo, que el premio de la lírica será para mí. No sé. Si yo cogiera dos o tres mil pesetas, recorrería toda España". Además, recordemos que el 30 de mayo de 1925, Alberti visitó, en su casa de Madrid, a Juan Ramón Jiménez (según se deduce de la carta de éste, fechada en el día 31. Véase el texto pp. 115-117); y que el jurado del Concurso se reunió el 6 de junio e hizo público su fallo el 12 del mismo mes. Alberti, al escribir *La Arboleda perdida*, hizo una confusión sobre el contenido del telegrama de su amigo. En realidad, éste le participó había recibido a tiempo el manuscrito de *Mar y tierra*. El poeta salió de Rute y volvió a Madrid unas semanas antes de la concesión del premio, según nos confirmó él mismo de viva voz (en París, 26 oct. 1971).

concurrentes al tema anunciado, debe declararse desierto el premio de 3.000 pesetas, de que estaba dotado, y transferirlo al tema de "Poesía Lírica", usando así de las facultades que para esa acumulación de recompensas le confiere la base séptima de la convocatoria de este concurso. Y, finalmente, propone que este premio de 3.000 pesetas sea concedido al volumen inédito *Versos humanos,* de D. Gerardo Diego.

Y para que conste, firman la presente acta en Madrid, 6 de junio de 1925, Ramón Menéndez Pidal, Gabriel Maura Gamazo, Carlos Arniches, Antonio Machado y José Moreno Villa.

Resultando que se han cumplido los trámites y bases de las Reales órdenes de 1 y 8 de julio de 1924, organizando y convocando este concurso;

Resultando que la propuesta del Jurado, en lo que se refiere a transferir un premio de un tema a otro está previsto y autorizado por la base séptima de la convocatoria citada en el acto,

El Rey (q. D.G.) se ha servido disponer lo siguiente:

Primero. Se aprueba el acta mencionada, y en su consecuencia, se adjudica el premio de 4.000 pesetas al tema primero, "Poesía Lírica", al libro titulado *Mar y tierra,* de D. Rafael Alberti; el premio de 3.000 pesetas, del tema segundo, "Ensayos y crítica", a la obra titulada *Eduardo Rosales,* de D. Juan Chacón Enríquez, y el premio de 3.000 pesetas, del tema tercero, declarado desierto, se trasfiere al tema primero, y se otorga al libro *Versos humanos,* de D. Gerardo Diego.

Segundo. Las citadas cantidades de 4.000 y de 3.000 y de 3.000 pesetas, respectivamente, serán satisfechas, a justificar, por la habilitación de este ministerio, en la forma procedente y con aplicación al capítulo XIV, artículo 2.º, concepto 10, "Concursos nacionales", del presupuesto vigente."

El mismo día, el *Heraldo de Madrid* insertó en su rúbrica "El espejo indiscreto", un irónico suelto que decía:

"La República de las letras está alborotada; la República de las Letras está revuelta; la República de las Letras está necesitando que un escritor con talento, con prestigio y con desinterés —"El Caballero Audaz", por ejemplo— organice en ella un pequeño "13 de Septiembre", para establecer el orden.

Lo que trae desordenada a la querida República es el fallo del Concurso Nacional de Literatura, que da el premio de poesía a Don Rafael Alberti, declara desierto el concurso de obras teatrales y aplica las 3.000 pesetas de su premio a otorgar un accésit de consolación a Don Gerardo Diego, profesor y lírico.

Por estas resoluciones, a Don Antonio Machado —que es a quien se le imputan— lo están dejando los comentaristas, en plena vida, como anunció que estaría a la hora de la muerte: "Casi desnudo, como los hijos de la mar"...

Parece no corresponder exactamente a la realidad el último párrafo del artículo, si damos fe al relato de Moreno Villa en su autobiografía. Éste cuenta que fue él quien propuso a Alberti como digno del primer premio y que "entonces Antonio Machado, que había permanecido mudo, convino en que sí, que era el mejor". [48] Al hojear el manuscrito de *Mar y tierra* que recogiera unos días después en una oficina del ministerio de Instrucción pública, Alberti encontró entre dos páginas un papelillo firmado por el poeta de *Campos de Castilla* que decía: "Es, a mi juicio, el mejor libro de poemas presentado al concurso". [49] En los siguientes días, Alberti hizo una visita de agradecimiento a los miembros del jurado: Moreno Villa, ya conocido suyo, Gabriel Miró (secretario del premio), Carlos Arniches, a quien le presentó José Bergamín, futuro suegro del famoso sainetero; (a Antonio Machado, no le encontró en su casa, y sólo más tarde pudo darle las gracias,

---

48 José Moreno Villa, *Vida en claro*, México (1944), p. 118; reproducido por Alberti en AP, p. 202.
49 AP, pp. 205-206. El autógrafo está reproducido en METS y METBN.

al encontrarse con él en una calle de Madrid); en fin,
Menéndez Pidal, quien le invitó a leer algunas de sus
poesías en la inauguración del curso para extranjeros
de la Residencia de estudiantes. No recuerda Alberti
por qué razón dejó de ir a ver a Gabriel Maura.

Ante la ventanilla del ministerio a la que acudió para
cobrar las cuatro mil pesetas del premio, Alberti encontró a Gerardo Diego, empezando así una nueva
amistad literaria. Poco tiempo después, José Ruiz Castillo —padre de su amigo Manuel— aceptó tomar a su
cargo la edición de *Mar y tierra,* y mandó en seguida
el manuscrito a la imprenta; Daniel Vázquez Díaz le
dibujó un retrato para el frontispicio del libro; Gustavo
Durán, Rodolfo y Ernesto Halffter pusieron música a
algunas de sus canciones. En la Residencia, a la que
hace entonces visitas más frecuentes, conoce Alberti a
dos poetas algo más viejos que él, Pedro Salinas y
Jorge Guillén, que iban a ser fieles amigos.

Llegado el verano de 1925, mientras se dispersan los
concurrentes de la Residencia, Alberti acompaña a su
hermano Agustín, corredor de vinos, en un viaje por
Castilla y las provincias vascongadas. "Iba a empezar
mi segundo libro. De canciones también. En mi cua-
dernillo de viaje ya estaba escrito el título: *La Amante.*
¿Quién era la que con ese nombre iba yo a pasear por
tierras de Castilla hasta el Cantábrico, el otro mar, el
del norte, que aún no conocía? Alguien —bella amiga
lejana— de mis días de reposo guadarrameño. Todavía
el marinero en tierra era quien se lanzaba a recorrer
llanos, montes, ríos y pueblos desconocidos, pero esta
vez sin la compañía de la hortelana azul de su mar
gaditano [...] Rítmico, melodioso, ligero, recorrí con
aquella amante ya perdida más de una centena de pueblos, desparramando por casi todos ellos y las innu-
merables sendas y caminos que los enlazaban, mi canción. Itinerario jubiloso, abierto en casi todo instante
a la sonrisa". [50]

[50] AP, pp. 225-226.

Estas nuevas canciones se caracterizan por su rebosante jovialidad juvenil, que subraya José Bergamín en su retrato lírico de Alberti, puesto por éste a modo de prólogo a la segunda edición de *La Amante*. [51] Quizás porque su mismo autor habla poco, en sus memorias, de este su segundo libro, los exegetas y comentadores de la obra albertiana le dedican poca atención. Es verdad que *La Amante* no se presta fácilmente al análisis literario, por la sencillez de las canciones que contiene, aunque merecería un estudio estilístico por la riqueza y la variedad de los medios expresivos utilizados por el poeta. En esa obra, lo que llama la atención es la brevedad de las poesías, el corto número de versos de cada una (en muy pocas pasa de diez) y su estilo despojado de adornos inútiles —a veces, hasta de verbos— que les da en ciertos casos la brevedad de mensajes telegráficos. La profunda originalidad de Alberti reside aquí en la manera de tratar el tema y los motivos del paisaje castellano. El andaluz Antonio Machado interpretó primero este paisaje en un sentido trágico, insistiendo sobre la desolación de los campos desnudos y casi sin árboles, de las ciudades decrépitas que sobreviven difícilmente a su gloria pasada, y sobre el carácter áspero, duro, brutal de los habitantes. Esta visión pesimista reflejaba también el estado de ánimo del poeta, no sólo alimentado por la nostalgia de su tierra natal, sino también por el punzante y secreto dolor de su corazón herido por la muerte de la mujer amada. El vascongado Miguel de Unamuno exaltó por su parte la meseta castellana, en la que ve encarnada la "esencia" de la raza y la tierra de elección del "casticismo" según el enfoque metafísico de la generación del 98, llegando a ofrecer en ejemplo como "virtudes eternas" de España los aspectos más discutibles del vivir contemporáneo de la extinguida casta guerrera de Castilla, tan llevados y traídos por sospechosas ideologías justamente combatidas por Américo Castro. La visión

51 Véase este texto p. 147.

de Alberti es radicalmente distinta. Al viajar "por tierras adentro", no pretende en ningún momento con-
tribuir a reforzar los mitos del casticismo. Su visión no
es la de un filósofo, sino la de un joven andaluz que,
al recorrer los pueblos castellanos, descubre un paisaje
para él hasta entonces desconocido, y por tanto exótico.
Pero nunca describe este paisaje con los colores de un
pintoresquismo pasado de moda; se enfrenta con él
desprovisto de toda teoría metafísica preconcebida y
llena su carnet de croquis con poesías breves, rehuyen-
do sistemáticamente lo anecdótico y la meditación. Ni
siquiera, al pasar por San Rafael de Guadarrama, recuerda, en su canción 2, su estancia obligada en el pueblo. Sentado en las graderías del antiguo teatro romano
de Clunia (canción 18), evita cuidadosamente la recons-
titución arqueológica, es decir lo fácil. En Burgos, dedica al cristo de la catedral una saeta, pero la com-
pasión que expresa podría aplicarse, lo mismo que a
Jesús, a cualquier ser humano; lo primero que apunta
es un elemento material y cotidiano: "¡Ay qué amargura de piedra, / por las calles *encharcadas*!" En la
canción 35, también situada en Burgos, la barquillera
le inspira no un esbozo "típico", sino un juego de palabras sobre *barquito* y *barquilla,* que le permite afirmar su origen forastero: "que soy marinero yo". La
etapa en Limpias (canción 44) no sugiere ninguna referencia al famoso cristo, y sólo Alberti ve allí "La vaca.
El verde del prado, / todavía". En Castro Urdiales, los
"dos mares", aunque de color distinto, acaban por iden-
tificarse gracias al recuerdo del verso de Gil Vicente,
interpretado aquí en "Rema, rema, remadora" (canción
49). Cuatro versos bastan a Alberti (canción 52) para
caracterizar Sestao, en el que conviven el paisaje marí-
timo y el paisaje minero, presentados en un contraste
discretamente sugerido entre el marinero (*alegre, azul*)
y el minero (*triste, negro*). En *La Amante,* no aparece
nunca la aguda nostalgia que aflora en algunas canciones de *Marinero en tierra*; ni siquiera en la separación

de los amantes, terminado el viaje, hay el menor aso-
mo de tristeza (*Despedida*). En este segundo libro de
canciones, el poeta consigue superar, por medio de la
estilización, la realidad vivida, vista a través del pris-
ma de una sensibilidad que ha conservado todo su frescor y no deja paso a la interpretación intelectual de las
impresiones que recibe.

Después de su regreso a Madrid a fines del verano
de 1925, Alberti corrige las pruebas de *Marinero en
tierra,* que aparece en otoño del mismo año, saludado
por artículos de Díez-Canedo, Gómez de Baquero, Fernández Almagro publicados en la prensa. En julio, la
Revista de Occidente y *Sí, boletín bello español* (en su
número único) habían dado a conocer algunas canciones del poeta. "En fin —comenta Alberti—, estaba muy
contento. Quería escribir más. Pero en Madrid me era
muy difícil, solicitado, como estaba, por todo el mundo.
Una mañana tomé el tren y me marché de nuevo a
Rute". [52] Llevaba el manuscrito de *La Amante,* y pen-
saba terminar *Cales negras,* cambiando el primitivo
título por el definitivo de *El Alba del alhelí.* Las figuritas del nacimiento que levantara para sus sobrinillos
le inspiraron los catorce poemas reunidos bajo el título
Navidad, que, en la ordenación definitiva del libro, for-
maron parte de la primera sección, *El Verde alhelí.* "La
tercera sección —*El Verde alhelí*— se la dejaba al mar,
que visitaría pronto", escribe Alberti en sus memorias.
En el auto de un amigo de su cuñado, sale de Rute
para Málaga, y allí, en la Imprenta Sur, va a visitar
a Emilio Prados y Manuel Altolaguirre, a quienes en-
trega *La Amante* que publicarían como segundo "suplemento" a su revista *Litoral.* [53] De Málaga, sale en

---

[52] AP, p. 234.
[53] AP, p. 235. Hablando de esta estancia en Málaga, Alberti
escribe (AP, p. 236) que Prados y Altolaguirre "componían en este
momento el segundo o tercer número de *Litoral.* Ahora bien, el
núm. 1 de esta revista lleva la fecha de nov. 1926. Más adelante,
dice que Manuel Altolaguirre "había perdido su madre por aquellos días" (AP, p. 237). Esto ocurrió el 8 de sept. de 1926 (véase

barco para Almería, y allí pasa unos dos meses en casa de su hermana Pepita, recién casada con un joven abogado. "En la playa o entre las palmeras del parque, comencé las canciones destinadas a la última parte de *El Alba del alhelí'*. Una linda muchacha filipina era mi amiga. Sus padres la habían dejado un tiempo con mi hermana al trasladarse a Madrid. Con ella recorría las azoteas, escuchando, como en el Puerto, las conversaciones de las cocinas por la ancha boca de las chimeneas. ¡Qué hermoso era, luego de anochecido, permanecer juntos por aquellos terrados, viendo encenderse las luces de los barcos, dibujarse en el cielo las constelaciones! Y sucedió lo que tenía que suceder: nos enamoramos. Y mi hermana entonces, muy lista, me insinuó amablemente la conveniencia de regresar a casa. Lo hice, pero llevándome un montón de canciones y uno de los recuerdos más dichosos de mi juventud". [54]

Al futuro libro, Alberti añade algunas poesías: *Joselito en su gloria, El Niño de la Palma,* compuestas en mayo de 1927 en Sevilla, adonde había ido en compañía de José María de Cossío, para participar en la

---

Carlos Altolaguirre Bolín, "Manuel Altolaguirre mi hermano", *Caracola* [Málaga], núms. 90-91-92-93-94, abr.-ag. 1960, p. 23). La Imprenta Sur se fundó en 1925, y probablemente en los últimos meses de este año, ya que el primer libro que de ella salió fue *Adán y Eva* de Edgar Neville, fechado en 1926. También en 1926 publicó dicha imprenta el libro de Manuel Altolaguirre, *Las Islas invitadas* (que su autor leyera a Alberti durante su visita a Málaga), y *La Amante* (acabado de imprimir, según reza el colofón, el 27 de nov. de 1926). Recordemos que, en su primera edición, el tercer libro de *El Alba del alhelí* lleva al final: "Almería, 1926". Por otra parte, en una carta fechada en Rute, 2 de dic. de 1925, Alberti anunció a Emilio Prados que estaba a punto de poner en limpio *La Amante* para enviársela pronto (*Litoral* [nueva serie], núm. 3, ag.-sept. 1968, p. 12). Parece pues que en la memoria del poeta se hayan confundido los recuerdos de dos viajes a Málaga, uno en 1925, y otro en 1926, no resultando clara la cronología de aquellos años en *La Arboleda perdida*. En realidad, sólo en los últimos meses de 1926 estuvo Alberti en el puerto andaluz, y entonces fue cuando conoció personalmente a Altolaguirre y Prados (R. Alberti, de viva voz a R. Marrast, París, 26 oct. 1971).

[54] AP, pp. 238-239.

velada de homenaje organizada por Ignacio Sánchez Mejías, que animaba el "Club Joselito", con motivo del séptimo aniversario de la muerte de éste. De la misma inspiración son también las *Seguidillas a una extranjera.* Puede sorprender que estas tres composiciones figuren en la sección titulada *El negro alhelí,* reservada en su casi totalidad a motivos ruteños de tono dramático y de violentos contrastes. Lo ha explicado muy bien Alberti en su conferencia dictada en Berlín en noviembre de 1932: "Este jugar con fuego, este burlarse de la muerte, esquivándola y provocándola a un mismo tiempo, este arriesgar el cuerpo bailando, esta fiesta española del gana y pierdes, yo la he visto encarnada en el toreo". [55] La parte final, *El Verde alhelí,* contiene cincuenta y tres canciones cortas, tituladas *Playeras,* de una inspiración tan próxima a las de *Marinero en tierra* que después Alberti incluyó dieciséis de ellas en las reediciones de este último libro. [56]

Solita Salinas ha dedicado a *El Alba del alhelí* un extenso capítulo de su libro sobre Rafael Alberti, [57] que hace innecesario un nuevo análisis. Remitimos pues al lector a este excelente estudio, del que resumiremos las principales conclusiones. Las canciones de *El Alba del alhelí,* a diferencia de las de *Marinero en tierra,* están inspiradas en una realidad vivida, y su ritmo es también distinto, a veces más "popular" que "culto". Algunas de ellas, por ejemplo la quinta de *La Encerrada* ("Porque tiene olivares") recuerdan más bien el Manuel Machado de *Cante hondo*; pero en general el poeta sigue fiel a la reinvención y reinterpretación de los motivos tradicionales que practicaran en distintos registros Juan Ramón Jiménez y Antonio Machado, imprimiéndoles un sello muy personal. Aunque en *El Negro*

[55] R. Alberti, *La poesía popular en la lírica española contemporánea,* Jena und Leipzig, 1933, p. 10; conferencia reproducida en *Páginas encontradas,* Madrid (1970), pp. 87-103 (nuestra citación, p. 93).
[56] Sobre estas cuestiones bibliográficas, véase la *Nota previa,* pp. 71-74, y el *Apéndice segundo,* pp. 265-271 y 273-280.
[57] SSM, pp. 107-144.

alhelí se acerca Alberti al tono lorquiano, por el recurso al clima dramático en *La Encerrada* y *Torre de Iznájar,* evita cuidadosamente el romance, prefiriendo al sonsonete de la asonancia unos ritmos más cortados que permiten introducir frecuentes cambios de compás, no sólo en cada poesía, sino en la propia estructura del libro. Recordando palabras del mismo Alberti, apunta Solita Salinas que estas rupturas afectan los sonidos, y también los colores, sobre todo en la primera parte del libro: "es la que más se acerca de la obra albertiana al juego de sonidos y colores del peón de música. La variedad cromática es mayor que en otro momento de su poesía". [58] Además, tratándose en *El Alba del alhelí* de la descripción de un mundo vivido, desaparece mucho del laconismo del primer libro: aquí, Alberti usa menos de adverbios, de interjecciones, de exclamaciones; el imperativo es menos frecuente. En fin, en las poesías de tema taurino, se nota el acierto de Alberti en conjugar, a la manera de Lope y de Góngora, los motivos tradicionales y las metáforas barrocas.

Cuando en 1928 publica José María de Cossío *El Alba del alhelí,* en una cortísima edición de ciento cincuenta ejemplares "para amigos", hace ya algún tiempo que había cambiado de rumbo la poesía de Alberti. [59] Terminado este libro, reflexionó el poeta: "¿Qué hacer para arrancar de nuevo? Ya el poema breve, rítmico, de corte musical me producía cansancio. Era como un limón exprimido del todo, difícil de

---

[58] SSM, p. 122.

[59] Escribe Alberti en sus memorias: "Al partir de Tudanca, entregué a Cossío *El Alba del alhelí,* ante el ofrecimiento generoso de publicarlo a expensas suyas en su colección *Libros para amigos*" (AP, p. 273). Pero esta frase viene después de la relación de la estancia que hiciera en 1928 en casa del escritor montañés. Parece más plausible que Alberti remitiera su manuscrito a Cossío el año anterior: coincidieron, en junio de 1927, en Pontevedra con Ignacio Sánchez Mejías, el cual había conseguido que el poeta formara parte de su cuadrilla (AP, pp. 258-259). El poeta no recuerda exactamente en qué fecha entregó a Cossío *El Alba del alhelí,* pero piensa que fue efectivamente antes de su estancia en Tudanca, en la "casona" del editor de su tercer libro (R. Alberti, de viva voz a R. Marrast, París, 26 oct. 1971).

sacarle un jugo diferente. ¿A qué apretarlo más? ¿Acaso no había tanteado ya otras formas en mi *Marinero*? Primeramente escribiría tercetos, aprovechando aún más mis amados temas marinos, pero añadiendo otros que andaban golpeándome las sienes". Sentía que había que acabar con "un andalucismo fácil, frívolo y hasta ramplón [que] amenazaba con invadirlo todo, peligrosa epidemia que podía acabar incluso con nosotros mismos". [60] El entusiasmo por Góngora iba a despertar nuevos temas, a sugerir nuevas formas, que poco a poco aparecen en las poesías que Alberti va publicando, desde 1926, en revistas de Madrid y de provincias. Es significativo que, en la velada de homenaje a Joselito, no sólo recitó su elegía al diestro muerto, sino también dos sonetos de Góngora y su recién escrita *Soledad tercera*. [61] Hablando de *Marinero en tierra, La Amante* y *El Alba del alhelí*, declaró Alberti a principios de 1929: "Estos tres libros cierran el período inicial de mi poesía". [62]

Sin embargo, en la obra posterior no desaparecen nunca los temas de su primera etapa. Procede indicar que los primeros poemas del futuro libro *Cal y canto* que da a conocer a partir de mediados de 1926 están inspirados en una temática familiar al lector de *Marinero en tierra,* aunque de una técnica totalmente distinta de las canciones. Basta citar sus títulos para notar esta persistencia: *El jinete de jaspe, Oso de mar y tierra* y *Sueño de las tres sirenas,* en la *Revista de Occidente* (julio); *Estación del sur,* en *Residencia* (mayo-agosto); *Narciso,* en *Litoral* (noviembre); *Romance que perdió el barco,* en *Mediodía* (noviembre). En la autobiografía de 1929 ya citada, Alberti incluye entre sus obras en preparación *La Pájara pinta* (empezada en 1925), basada en corros infantiles y cuyos per-

---

[60] AP, pp. 239-240.
[61] Según Felipe Sassone (que asistía al homenaje) en su art. "Literatos y toreros", *ABC*, 24 mayo 1927.
[62] [Autobiografía], *La Gaceta literaria*, núm. 49, 1.º ene. 1929.

sonajes están tomados de la literatura oral.[63] En su
"misterio en tres actos y un epílogo" *Santa Casilda,*
Alberti recoge en 1930 una leyenda tradicional burga-
lesa, que inspirara a Lope y a Tirso; por la misma
época, escribe una escenificación del conocido romance
El Enamorado y la muerte.[64] El acto de la primera
pieza representada (febrero de 1931) de Alberti, *El
Hombre deshabitado,* recuerda en muchos aspectos el
clima de las obras teatrales de Gil Vicente, y el poeta
incluye en él una escena (la de los cinco sentidos jugando con el pez rojo) inspirada tanto en la literatura
infantil oral como en los cancioneros del siglo xv.[65]
Unos meses más tarde (junio de 1931), estrena *Fermín
Galán* "romance de ciegos en tres actos, diez episodios
y un epílogo", cuyo segundo cuadro pasa en San Fernando durante la adolescencia del protagonista; aquí
reaparece el Alberti de *Marinero en tierra,* no sólo en
los elementos pintorescos, tales como el pregón de la
vendedora de volanderas, sino también en el bello mo-
nólogo en que Fermín expresa su melancolía y su
desasosiego:

> ¿Qué le pasa al mar,
> que si triste va
> más triste se vuelve?
> Dime, mar, ¿qué tienes?
> ¿Qué te pasa, mar?
> ¿Y tu libertad?

> ¿Qué le pasa al cielo,
> que si quiere andar
> no le empuja el viento?
> ¿Qué le pasa, preso
> siempre sobre el mar?
> ¿Y su libertad?

[63] Véase nuestra ed. del prólogo y acto primero —únicas partes
escritas— de esta obra, a continuación de *Lope de Vega y la poesía
contemporánea,* París (1964), y la nota 57 de MET, p. 98.
[64] Sobre estos primeros intentos teatrales, véase nuestro libro
Aspects du théâtre de Rafael Alberti, París, 1967, pp. 9-26.
[65] Véase *ibid.,* pp. 28-30.

Tierra, ¿qué te pasa,
que quisieras irte,
pero estás clavada?
Bajo el cielo presa,
presa junto al mar.
¿Y tu libertad?

Tierra, mar y cielo,
decidle a mi alma
qué es lo que yo quiero. [66]

En el drama *De un momento a otro* (1938-1939), además de los recuerdos de infancia y juventud (se trata de una obra en parte autobiográfica), el personaje de Andrés el Beato se expresa por aleluyas y coplas improvisadas o tomadas del folklore. Recordemos también que cuando se sintió "a sabiendas un poeta en la calle", según sus propias palabras, el primer poema cívico que escribió Alberti (fechado en 1.º de enero de 1930) fue inspirado por la copla andaluza cuyos primeros versos adoptó como título:

Con los zapatos puestos
tengo que morir,
que si muriera como los valientes,
hablarían de mí. [67]

En 1934-1935, Alberti titula *Homenaje popular a Lope de Vega* una serie de canciones de contenido social y político encabezadas cada una por un epígrafe tomado del Fénix, reproduciendo de manera original y adaptándolo a las circunstancias, el tono burlón y ligero de las letrillas de Lope. Durante la guerra civil, compuso muchos romances, porque esta forma tradicional le pareció, con razón, la más adecuada a la narración épica o satírica; pero en octubre de 1937,

[66] R. Alberti, *Fermín Galán* (Madrid), 1931, pp. 28-29. Sobre esta obra, véase nuestro libro ya citado, pp. 55-71.
[67] AP, p. 296. El texto de esta *Elegía cívica*, en PC, pp. 331-335.

publicó los siguientes versos que recuerdan todavía al marinero en tierra de 1924, ahora soldado:

> El mar está lejos;
> la guerra está cerca.
> Déjame que me vaya y no vuelva.
>
> El mar está cerca;
> la guerra está lejos.
> Dejo la mar y vuelvo. [68]

A través de la obra poética albertiana del destierro, el resurgimiento de los temas de sus primeros libros es frecuente, si bien las evocaciones del mar de Cádiz y de los paisajes porteños adquieren matices de más aguda nostalgia en versos de mayor amplitud y más pausada cadencia. Particularmente notable es este resurgimiento en *Retornos de lo vivo lejano* (1948-1956) y *Ora marítima* (1953), pero ya en 1942-1944 el tema del mar había inspirado a Alberti los "versos sueltos de *Arión*" (que forman parte del libro *Pleamar*) en cuya cuarta poesía señalaba el poeta esta continuidad de su inspiración:

> Canta en mí, maestro mar, metiéndose
> por los largos canales de mis huesos,
> olas tuyas que son olas maestras;
> vueltas a ti otra vez en un unido
> mezclado y solo mar de mi garganta:
> Gil Vicente, Machado, Garcilaso,
> Baudelaire, Juan Ramón, Rubén Darío,
> Pedro Espinosa, Góngora ... y las fuentes
> que dan voz a las plazas de mi pueblo. [69]

En 1949 escribe Alberti las *Coplas de Juan Panadero*, que entroncan con la tradición satírica del siglo xv, ilustrada por las del Provincial y de Mingo Revulgo; otra vez se impone al poeta el conciliar —ya no a la

---

[68] Sin título, ilustrados con un dibujo de Alberti, en *El Mono azul*, núm. 38, 28 oct. 1937. No recogidos en libro.
[69] PC, pp. 519-520.

manera de Juan Ramón, sino más bien a la de Machado— los temas populares sugeridos por la realidad vivida, con el rigor de la expresión poética: "Aunque Juan Panadero no es otro que el propio Juan Soldado, Juan Sin Miedo y hasta en algunos momentos Juan el Zorro o demás Juanes de la Tierra, tiene a Juan de Mairena, el doble sentencioso castellano-andaluz de Antonio Machado, por maestro inmediato, aspirando, si no en lo filosófico, a su severidad de medios expresivos, su claridad, su concisa, desnuda pobreza". [70]

Esta continuidad que caracteriza la poesía y también el teatro de las distintas épocas de Rafael Alberti no se manifiesta únicamente en la temática, las formas de expresión, o la concepción del quehacer poético. También aparece en las preocupaciones que reflejan sus obras, ilustraciones de un ideario que se va precisando con el tiempo, y del que sus primeras obras contienen algunas muestras, aunque todavía indecisas. Apunta acertadamente Solita Salinas que, en la segunda parte de *El Alba del alhelí* "el problema de no poder comunicar con el ser querido o con el prójimo es desde el poema de *La Encerrada* al último de este libro, una constante". [71] Éste no es más que un aspecto de la inquietud fundamental que, a lo largo de su vida, el poeta traduce y transmite en su obra. En su infancia, la índole independiente de su carácter le hace mostrarse reacio a la disciplina familiar y escolar; el "destierro" que le imponen sus padres en 1917 acentúa su indocilidad que se manifiesta en la elección de una actividad artística. Pero cuando empiezan a "salirle" poemas —según su expresión—, el alejamiento, en el tiempo como en el espacio, del mundo de su infancia confiere a sus recuerdos nostálgicos los colores risueños

---

[70] R. Alberti, *Algo sobre Juan Panadero*, en *Coplas de Juan Panadero (Libro I)*, Montevideo (1949), p. [8]. Este libro —sin el prólogo aquí citado— está incluido casi completo en PC, pp. 867-925, aumentado de algunas "coplas".
[71] SSM, p. 119.

de un paraíso perdido. De momento, no aparecen en *Marinero en tierra* los aspectos desagradables de sus primeros años: las humillaciones sufridas en el Colegio por su calidad de alumno pobre, la inquisitorial vigilancia de los tíos y tías, sólo más tarde serán materia de su poesía (en la sección *La Familia* de *De un momento a otro*, y en el drama de mismo título). En *La Amante*, la realidad recordada sigue imponiéndose a la realidad vivida, y de esta última el poeta ve sobre todo los aspectos superficiales: así, sólo le extraña la mirada tan seria que le dirige el carretero de Peñaranda de Duero (canción 16):

> Tienes cuatro mulas tordas,
> un caballo delantero,
> un carro de ruedas verdes
> y la carretera toda
> para ti,
> carretero.
> ¿Qué más quieres?

A los "trabajadores madrugadores" de Salas de los Infantes, les saluda con un alegre pregón (canción 20). Sin embargo, se muestra a veces sensible a la dura condición de ciertos hombres, por ejemplo cuando escribe en Sestao (canción 52):

> Tan alegre el marinero.
> Tan triste, amante, el minero.
>
> Tan azul el marinero.
> Tan negro, amante, el minero.

En *El Alba del alhelí,* le preocupan más los aspectos de la realidad ruteña que chocaban ya con su innato sentido de la libertad y de la justicia. Simpatiza con la húngara, en la que ve el símbolo de la vida sin trabas, al margen de una sociedad de moral rígida; le interesa la suerte del prisionero que desearía ver, como él, en libertad; le indigna la reclusión de "la encerrada", víctima de un orden que impone leyes inhumanas a una muchacha cuya única culpabilidad se debe a que es hermosa y joven. Más o menos consciente y totalmente, Alberti proyecta su propia personalidad en estos personajes que, por las costumbres o los prejuicios eregidos en código estricto, se ven condenados a renunciar a su personalidad. Y no sólo descubre "el problema de no poder comunicar", sino la razón fundamental de la existencia de tal problema: la incompatibilidad de ciertas reglas sociales con el armonioso desarrollo del individuo. No es éste el lugar de examinar las varias formas que reviste, en los actos, escritos y palabras de Rafael Alberti, esta toma de conciencia de los distintos aspectos de la alienación del hombre. Sólo señalaremos algunos casos de la reaparición en obras más recientes, de temas de su poesía primeriza, pero presentados desde una perspectiva y con una significación distintas, y además utilizados como resortes dramáticos. El antagonismo entre Mar y Tierra surge otra vez, pero con una dimensión trágica, en *El Trébol florido* (1940). Aquí la sirena de las canciones de 1924 es Aitana, a la vez pérfida enemiga ancestral para Umbrosa (viuda de un pescador) y, para los hijos de ésta Martín y Alción, encantadora y seductora novia que juega con el corazón de ambos; perecerá ahogada por las manos de su padre, el molinero Sileno, que prefiere verla muerta antes que esposa de un marinero. Aitana es víctima involuntaria del choque entre las tradiciones opuestas de dos mundos irreconciliables. Otro ejemplo: encontramos de nuevo a "la encerrada" en *El Adefesio* (1944); se llama Altea y acaba suicidándose, víctima de la crueldad y los tabúes de tres viejas tías supersticiosas que le secuestran y someten a refinadas torturas morales. Ambas jóvenes perecen porque les es imposible resistir a las fuerzas tenebrosas de una tradición caduca o un sistema de valores morales derivados de ella, pero desfigurados en exclusivo beneficio de los que sacan provecho de su vigencia, y en detrimento de los seres inocentes y puros que no saben o no pueden ver lo que realmente encubren: la maldad o la malicia bajo la máscara de la virtud. [72]

"Hay poesía —escribe Aragon— sólo cuando hay meditación sobre el lenguaje, y a cada paso reinvención de este lenguaje". [73] Esta máxima se aplica perfectamente a nuestro poeta. Los distintos períodos (como se suele decir al hablar de los pintores) de su obra —1924-1926, 1926-1930, 1930-1939, 1939-¿?— corresponden a un cambio buscado pero imprescindible de los medios expresivos, escogidos cada vez con entera lucidez, en función del contenido virtual del libro (o de los libros) proyectado y, naturalmente, de la progresiva extensión de la visión del mundo que traduce. Al considerar la continuidad de la inspiración (que no impide el abandono provisional de ciertos temas) es imposible introducir arbitrarias divisiones en la obra de Rafael Alberti por razones a veces muy ajenas al juicio literario objetivo. (Hasta escribió un crítico —de cuyo nombre no queremos acordarnos— que Alberti "puede hacerlo todo, menos poner su vida en la poesía".)

Marinero en tierra, La Amante, El Alba del alhelí no constituyen un mundo poético cerrado, aparte, autónomo y sin relación alguna con las obras escritas más tarde, y especialmente las que entran en la categoría de la "littérature engagée". Los tres primeros libros de Alberti representan el primer núcleo de un universo que se va enriqueciendo cada día —y sea por mucho tiempo— con nuevas creaciones, pero sin solución de continuidad, en un constante y armonioso devenir. [74]

ROBERT MARRAST

---

[72] Sobre este tema constante, en la obra dramática albertiana, de la lucha entre la inocencia y la hipocresía disimulada bajo la afirmación de grandes principios, véase nuestro libro ya citado.
[73] *Les Yeux d'Elsa*, París, (1946), p. 14 (prólogo).
[74] Agradecemos a nuestro amigo y colega Francisco Olmos García, que tuvo la gentileza de leer la presente *Introducción*, su revisión y comentarios.

NOTICIA BIBLIOGRÁFICA

1. EDICIONES DE *Marinero en Tierra, La Amante, El Alba del Alhelí*, Y PUBLICACIONES DE POESÍAS SUELTAS DE ESTOS TRES LIBROS, O ANTERIORES [1]

Poemas: 1. "Descalzo de las cosas". 2. "La noche ajusticiada". 3. "Ya el buque de los años". En *Horizonte,* año I, núm. 3, 15 dic. 1922.

Fechados al final: "San Rafael, agosto 1922". Reproducidos en PA, pp. 5-6; en CAVA, sólo el núm. 2 (p. 213) y el núm. 3 (p. 216).

Balcones: 1. "Te saludan los ángeles, Sofía". 2. "El suelo está patinando". 3. "En tu dedal bebía esta plegaria". En *Alfar* (La Coruña), año IV, núm. 40, mayo 1924.

Firmados: "Rafael ALBERTY [sic]" y fechados: "París, 1924" (aunque en aquel año, el poeta no había salido de España). Reproducidos en AP, pp. 159-160; PA, pp. 6-8; CAVA, pp. 224-225.

Mar y Tierra: "¡Traje mío, traje mío!". *Salinero. De La Habana ha venido un barco...* En: *La Verdad, Suplemento literario* (Murcia), año III, núm. 48, 18 ene. 1925. En MET.

---

[1] No se describen aquí: las varias ediciones de la *Antología poética* de Alberti publicadas por la ed. Losada en la col. "Biblioteca Contemporánea" (luego "Biblioteca Clásica y Contemporánea") en 1942, 1945, 1958, 1966, 1969 y 1972, cuyas sucesivas tiradas contienen un número variable de poesías de MET, LA y ADA, ya que en cada una se añaden poesías de otros libros recientes editados en Buenos Aires; las antologías generales de poesía española en las que figuran versos de Alberti, por ser numerosísimas. Los periódicos y revistas cuyo lugar de ed. no se expresa, son de Madrid.

Con la siguiente nota: "Del libro de este título en preparación". En MET.

El Alba del alhelí: A Juan Antonio Espinosa, capitán de navío; Rosa-fría, patinadora de la luna; El niño muerto; El niño malo; La cigüeña; La tortuga; Canción ("Todo lo que por ti vi"); Trenes; Pregón ("¡Vendo nubes de colores!"); Pregón submarino; Elegía ("La niña rosa, sentada"); Jardín de amores ("Vengo de los comedores"). En *Revista de Occidente,* año III, t. IX, núm. XXV, jul. 1925. En MET, excepto *Canción* y *Pregón,* que forman parte de la primera ed. de ADA.

Marinero en tierra: 1. *Salinero* 2. "Gimiendo por ver el mar" 3. *Sueño* (Noche) 4. "Branquias quisiera tener" 5. *Elegía del cometa Halley* 6. "¡Traje mío, traje mío!" 7. *Pirata* 8. *Con él* ("Zarparé, al alba, del Puerto") 9. "¡Qué altos" 10. *Chinita* 11. (*Verano*) 12. *Ilusión* 13. *Madrigal de Blanca Nieve* 14. "¿Para quién, galera mía" 15. "Si mi voz muriera en tierra". En *Sí (Boletín Bello Español),* núm. I [y único], jul. 1925.

Revista editada por Juan Ramón Jiménez, a la que alude en su carta a Alberti de 31 de mayo de 1925, reproducida en la ed. príncipe de MET (de que forman parte estas poesías) y aquí, pp. 115-117.

MARINERO EN TIERRA. POESÍAS (1924). Premio Nacional de Literatura 1924-1925. Madrid, Biblioteca Nueva, 1925, 8.º, 219 págs.

Primera ed., impresa en el Establecimiento tipográfico "El Adelantado de Segovia". Sin colofón. En frontispicio, retrato del poeta por Daniel Vázquez Díaz. Contiene las partituras musicales de Ernesto Halffter para *Mi corza* (dedicada "Al Doctor Jiménez Encina", y fechada en "Madrid, 16-IX-1925", pp. 57-58), de Gustavo Durán para *Salinero* (fechada en "Madrid, julio 1925", pp. 133-135), de Rodolfo Halffter para (*Verano*) (dedicada a Julia Osán, y fechada en 1925); y la carta de Juan Ramón Jiménez aludida en el art. anterior (pp. 123-126). En la p. [219] y última: [1 bis]

[1 bis] Esta ed. tuvo una tirada de mil ejemplares, de los cuales doscientos fueron regalados por Alberti a sus jóvenes amigos, según indica José Ruiz-Castillo Basala (hijo del editor José Ruiz-Castillo, propietario de "Biblioteca Nueva") en sus *Memorias de un editor* (Madrid, 1972), p. 212. Sobre las relaciones de Alberti con la familia Ruiz-Castillo y las ed. de *Marinero en Tierra* de 1925 y 1968, véase *ibid.,* pp. 209-214.

RAFAEL ALBERTI
OBRAS EN PREPARACIÓN
VERSO
EL ALBA DEL ALHELÍ
SONETOS LITORALES
LA AMANTE
TEATRO
ARDIENTE-Y-FRÍA (MADRIGAL DRAMÁTICO)
LA NOVIA DEL MARINERO

La maldecida: 1. "De negro, siempre enlutada" y 2. "No quiero, no, que te rías" *La novia* ("Toca la campana"). En *La Verdad, Suplemento literario,* año IV, núm. 53, 6 jun. 1926.

Fechados al final: "Serranía de Rute, 1926". En ADA, las dos primeras llevan el núm. 1 y el núm. 4 de la serie *La encerrada.*

Estampida celeste de la Virgen, el arcángel, el lebrel y el marinero. En *La Verdad. Suplemento literario,* año IV, núm. 55, 4 jul. 1926. Fechada: "(1925)". En ADA.

LA AMANTE. CANCIONES (1925). Málaga, Imprenta Sur, 1926. 8.º, 76 págs. 2.º Suplemento de *Litoral.*

Colofón (p. [87]): "Este libro se acabó de imprimir el día 27 de Noviembre de 1926 en la Imprenta "Sur" MÁLAGA". Precio: 4'25 [ptas.].

A Jean Cassou. En *Papel de Aleluyas* (Huelva), núm. 2, ag. 1927. En ADA.

Seguidillas a una extranjera. En *Carmen* (Santander-Gijón), núm. 1, dic. 1927. En ADA.

EL ALBA DEL ALHELÍ (1925-1926). [Santander], Talleres tipográficos de "La Atalaya", s.a. [pero 1928]. Peq. 8.º, 182 págs.

Ed. de 150 ejs. no destinados a la venta, en la col. "Libros para amigos" publicada por José María de Cossío. En la cubierta dice: " 'Editorial Montañesa' S. A. Santander". Colofón (p. [182]): "La impresión de este libro fue comenzada en los talleres tipográficos de La Atalaya, S. A., y terminada por la 'Editorial Montañesa', su sucesora". La fecha de publicación (1928) está indicada en la lista de las obras de Alberti que figuran en las primeras ed. de *Cal y canto* y *Sobre los ángeles*, y en la segunda de LA, todas de 1929.

¡El tonto de Rafael! (autorretrato). En *Lola, amiga y suplemento de Carmen* (Santander-Gijón), núm. 5, s.f. [pero abr. 1928].

Incluida en ADA, en P1 y ed. sucesivas. En *Lola,* va seguida de: *¡El tonto de Rafael! (retrato por un fotógrafo al minuto)*; ambas sin firma y bajo el título general de: *Variaciones a 4 manos*. La primera es de Alberti, quien la incluyó en ADA (en P1 y ed. posteriores); y según él la segunda fue escrita por Gerardo Diego (director de *Carmen* y de *Lola*) como complemento humorístico del "autorretrato" (R. Alberti, de viva voz a R. Marrast, París, 26 oct. 1971).

El Niño de la Palma (chuflillas). En *Meseta* (Valladolid), núm. 4, abr. 1928. En ADA.

1. *La Húngara* (1 a 10). 2. *Prisionero* (1 a 6). 3. *La Vaca labradora* (1 a 3). En *Meseta,* núm. 5, mayo 1928. En ADA.

"Siempre que sueño las playas" [fragmentos]; *Elegía del niño marinero* [los 8 primeros versos]; "Soñabas tú, que no yo"; *La Perejilera*; *Cangrejos*; "Dormido quedé, mi amante"; *Despedida*. En *Lola, amiga y suplemento de Carmen,* núms. 6-7, s.f. [pero jun. 1928].

Las tres primeras, de MET; las siguientes (menos la cuarta), de LA. Todo el número de la revista está consagrado a una *Tontología,* cuyo fin es "recoger algunos de los muchos resbalones de los poetas capaces de escribir buenos versos", según un breve y humorístico prólogo firmado "El Tontólogo". Se encuentran efectivamente todos los versos de Alberti reproducidos en los libros indicados, menos *La Perejilera,* cuya referencia es: *La Amante,* pág. 6. Ahora bien, en la única ed. que existía en 1928 de este libro (la de Málaga, 1926), la p. 6 está en blanco y sin numerar. Alberti no reconoce *La Perejilera* como obra suya, y piensa que se trata de un *pastiche* hecho en broma por Gerardo Diego

(R. Alberti, de viva voz a R. Marrast, París, 26 oct.
1971).

El Niño de la Palma (chuflillas). En *La Nación* (Buenos
Aires), 5 mayo 1929 (núm. extraord. dedicado a la Exposición Iberoamericana de Sevilla). Ilustradas con un
dibujo de Sirio. En ADA.

El Niño de la Palma (chuflillas). En *Revista portuense*
(Puerto de Santa María), 26 mayo 1929. Reproducidas
de *La Nación* del 5 de mayo.

LA AMANTE. CANCIONES (1925). Segunda edición. Madrid, Editorial Plutarco, S. A., 1929. 8.º, 96 págs.

Al dorso de la portada: "(LA AMANTE). Esta segunda edición, aumentada con tres dibujos, una canción y
un retrato lírico del autor, por José Bergamín, consta
de 1.000 ejemplares numerados. Los números 1 al 25,
impresos en papel hilo-Vitela, y los números 26 al 1.000,
en papel hilo-Verjurado, fabricación Guarro". Acabado
de imprimir el 10 jul. 1929 en la Imprenta Clásica Española de Madrid. Sobre el texto de Bergamín, véase
p. 147, nota 1; y sobre la canción inédita, p. 72. Los
tres dibujos de Rafael Alberti, entre las pp. [12-13], [50-
51] y 72-[73].

Navidad: 1. *Las tres negaciones.* 2. *El buen ventero.* 3.
Nana. 4. *Al y del.* En *Blanco y Negro,* año 40, núm.
2066, 21 dic. 1930.
Ilustrados con fotos de belenes por Emmanuel. Son
las poesías 13, 2 y 3, 4, 5 de la serie *Navidad* de
ADA, las tres primeras con nuevos títulos.

La Húngara. En *ABC,* 1 mar. 1931. Con un dibujo de
Regidor. De la serie del mismo título en ADA.

La Húngara. En *Revista portuense,* 5 mar. 1931. Reproducido de *ABC* del día 1.

Geografía física. En *Revista portuense,* 29 mayo 1931. En
MET.

La Húngara. En *Revista portuense,* 14 oct. 1931.

Seguidillas a una extranjera. En *Revista portuense,* 17 dic.
1931.

La Encerrada. En *La Nación* (Buenos Aires), 3 ene. 1932.

Siete poesías de la serie del mismo título en ADA. Precedidas de las siguientes líneas: "Rafael Alberti, uno de los más notables poetas jóvenes de España, nos envía estos poemas de acento andaluz especialmente escritos para LA NACIÓN y pertenecientes a una de las maneras que han dado a su autor rápida nombradía". Fecha (del envío): "París, diciembre de 1931".

Playeras. En *La Nación* (Buenos Aires), 16 oct. 1932.

Con una ilustración de Luis Macaya. Son las siguientes canciones de la serie de mismo título en ADA: *La Virgen del mar* (sin título), *Mala ráfaga* (sin título), "A la sombra de una barca", "En las bodegas del buque", "Retorcedme sobre el mar", "Barcos extranjeros, hija", "¡Por el mar, la Primavera". Fecha (del envío): "París, septiembre de 1932".

POESÍA, 1924-1930. [Madrid], Cruz y Raya, Ediciones del *Árbol* (1934). Peq. 8.º, 378 págs.

Con una fotografía del autor en frontispicio. Colofón (p. [378]): "Este libro se acabó de imprimir en los talleres tipográficos de S. Aguirre, Madrid, el día 30 de septiembre de 1934". Precio: 8 pesetas. El vol. contiene: MET (precedido de la carta de Juan Ramón Jiménez a Alberti, fechada en 31 de mayo de 1925), 54 poesías (de las cuales 16 provienen de la primera ed. de ADA); LA (26 canciones); ADA, primera ed. pública (22 poesías); y la obra poética posterior hasta 1930.

La Húngara, Pregón, Rutas. En *Revista Hispánica Moderna* (Nueva York), año II, núm. 2, ene. 1936. La primera, sólo en parte. De ADA.

A Federico García Lorca, soneto ("Sal tú, bebiendo campos y ciudades"). En: *Antología de F. G. Lorca,* sel. y pról. de María Zambrano, Santiago de Chile, Ed. Panorama, 1936. Segunda ed., 1937; en *Antología selecta de F. G. Lorca.* Homenaje en el primer aniversario de su muerte, Buenos Aires, Ed. Teatro del pueblo, 1937; en *Homenaje a F. G. Lorca contra su muerte,* Valencia-Barcelona, Ediciones Españolas, 1937. De MET.

"Si me fuera, amante mía", con música de Gustavo Durán. En *Música* (Barcelona), suplemento al núm. 3, marzo 1938. De LA.

POESÍA, 1924-1937. Madrid, Editorial Signo, s.a. [pero 1938]. 8.º, 429 págs.

Con una fotografía del autor en frontispicio. Sin colofón. Pero la advertencia preliminar del poeta (p. [21]) está fechada en abril 1938, así como el último poema del libro (*Madrid por Cataluña*, pp. 420-421); y la primera reseña del volumen (por E. Sánchez-Cabeza) fue publicada en *El Sol* del 26 de junio del mismo año. De lo que deducimos que fue impreso en mayo de 1938. Contiene las mismas poesías de MET, LA y ADA que la ed. de Madrid, 1934.

POESÍA, 1924-1938. Buenos Aires, Ed. Losada (1940). 8.º, 397 págs. Col. "Poetas de España y América".

Con un dibujo del autor en la cubierta. Contiene las mismas poesías de MET, LA y ADA que la ed. anterior.

¡EH, LOS TOROS! Siete grabados en madera por Luis Seoane. Buenos Aires, Ed. Emécé (1942). 8.º, 37 págs.

Diez poesías de tema taurino, entre las cuales las de ADA: *Joselito en su gloria, Seguidillas a una extranjera, El Niño de la Palma (chuflillas)*.

MARINERO EN TIERRA (1924). Buenos Aires, Ed. Schapire, 1942. 8.º, 157 págs. Col. "Rama de Oro".

Con la reprod. de la nota autógrafa de A. Machado sobre el libro (véase *Introducción biográfica y crítica*, p. 35). Ed. numerada de 1.500 ej. firmados por el autor, en esta colección dirigida por R. Alberti.

Con él ("Zarparé, al alba, del Puerto"). En Juan Ramón Jiménez, *Sonetos espirituales*, Buenos Aires, Ed. Schapire, 1942. Col. "Rama de Oro". De MET.

MARINERO EN TIERRA (1924). Buenos Aires, Ed. Losada (1945). 16.º, 164 págs. Col. "Biblioteca Contemporánea", núm. 158.

Segunda ed. completa de MET, con 16 poesías de la primera ed. de ADA. Con la reproducción (pp. 46-47) de la partitura musical de Ernesto Halffter para *Mi corza*.

LA AMANTE, CANCIONES (1925). Buenos Aires, Ed. Losada
(1946). 16.º, 121 págs. Col. "Biblioteca Contemporánea",
núm. 186.

Tercera ed. de LA, que no contiene la antepenúltima
canción de las anteriores (1926 y 1929), pero sí el texto
de J. Bergamín, *El alegre,* a modo de prólogo ya inserto
en la segunda. En las pp. 99-115 del vol.: *Dos estampidas reales (1925),* publ. por primera vez en la ed. príncipe de ADA (1928). Las pp. [30-31] contienen la partitura musical de Juan Vicente Lecuna para *Canción
de camino,* dedicada a Conchita Badía y fechada: "Buenos Aires, 14-XII-1945".

POESÍA (1924-1944). Buenos Aires, Ed. Losada (1946). In-8.º,
327 págs. Col. "Poetas de España y América". Contiene
las mismas poesías de MET, LA y ADA que P2 y P3.

Con *él* ("Si Garcilaso volviera"). En Garcilaso de la Vega,
Poesías. Buenos Aires, Ed. Pleamar (1946). Col "Mirto".
De MET. Col. dirigida por Rafael Alberti.

SIETE CANCIONES de Rafael Alberti, música de Carlos Guas-
tavino. Buenos Aires, Ricordi Americana impresores,
1946, 32 págs.

Contiene: *La Novia, Geografía física, Elegía, Nana
del niño malo,* "¡Al puente de la golondrina!", *¡A volar!, Jardín de amores,* de MET (menos la 5.ª, de ADA).

EL ALBA DEL ALHELÍ (1925-1926). Buenos Aires, Ed. Losada
(1947). 16.º, 124 págs. Col. "Biblioteca Contemporánea",
núm. 196.

Segunda ed. del libro, sin las canciones incluidas, desde P1, en MET y las dos *Estampidas reales,* publicadas
al final de LA, ed. de 1946 en la misma colección.

¡A volar! En *La Calandria* (Barcelona), núm. 2, febr. 1951.
Canción de MET, impresa en la cubierta de la revista.

Burgos ("Sólo por esta mañana"). En *Estrofa* (Burgos),
núm. 7, mayo 1954. De LA.

Nana de la tortuga, música de Ernesto Mastronardi. Buenos
Aires, Ed. Erguña, 1954. De MET.

*Triduo del alba sobre el Atlántico en honor de la Virgen
del Carmen* (1, 2 y 3). En *Ámbito* (Gerona), ag. 1956. De
MET.

MARINERO EN TIERRA (1925). Segunda edición. Buenos Aires, Ed. Losada (1957). 16.º, 164 págs. Col. "Biblioteca Contemporánea", núm. 158.

Nueva tirada de la ed. de 1945 en la misma col. Es la cuarta ed. de MET.

LE MARIN À TERRE. Préface et traduction de Claude Couffon. Paris, P. Seghers éd. (1957). 8.º, 95 págs. Col. "Autour du monde", núm. 43.

Ed. bilingüe de 61 poemas de MET, escogidos en la ed. de 1945 y nuevamente ordenados por el traductor francés. Aunque no contiene la totalidad del libro, la incluimos aquí por ser la única ed. de MET publicada fuera de España e Hispanoamérica.

OCHO CANCIONES. Buenos Aires, 1958.

Ed. privada, publicada por Nicolás Delgado, de 8 poesías manuscritas de MET; ilustradas por el autor. Tirada de 15 ej. en papel Japón.

"Tu cuerpo" [fragmento]; "Más bajo, más bajo" [fragmento]; "La noche ajusticiada"; *Balcones* (1 a 3). En AP; pp. 141, 142, 153 y 159-160.

Los dos primeros, inéditos (reproducidos en el *Apéndice primero*, pp. 000; el segundo, de *Horizonte*, 15 dic. 1922; el tercero, de *Alfar*, mayo 1924.

La niña que se va al mar. En *Correo literario de Honduras* (Tegucigalpa), 1959, núm. 6. De MET.

Antología de la bienvenida de Rafael Alberti. En *Gaceta de letras* (Caracas), año I, núm. 2, 18 febr. 1960.

Contiene (además de otros textos en prosa de Alberti): *A un capitán de navío, Del poeta a un pintor, Balcón de Guadarrama* (de MET).

POESÍAS COMPLETAS. Con un índice autobiográfico por Horacio Jorge Becco. Buenos Aires, Ed. Losada (1961). 8.º, 1.191 págs. Col. "Cumbre".

Con una fotografía del autor en frontispicio, y 27 láms. fuera del texto (la segunda, entre las pp. 64 y 65, contiene la partitura musical de Ernesto Halffter para *Mi corza*, de MET). Se reproducen las ed. de MET,

LA y ADA publ. por el mismo editor respectivamente
en 1945, 1946 y 1947, en las pp. [19]-195. La bibliografía, por H. J. Becco (pp. 1111-1127) está inspirada
en la nuestra publicada en 1955-1957.

SUMA TAURINA. Verso, prosa, teatro. Ilustraciones del autor.
Recopilación, ordenación y notas de Rafael Montesinos.
Barcelona, Ed. RM, 1963. 8.º, 133 págs.
Contiene 6 láminas de la *Tauromaquia* de Alberti y,
entre otros textos: "¡Jee, compañero, jee! (en la primera ed. de ADA, luego en MET), *Joselito en su
gloria, Seguidillas a una extranjera. El Niño de la Palma
(chuflillas)*, (las tres de ADA).

Triduo de alba, 1. En *Ínsula*, núm. 198, mayo 1963.
De MET. Facsímil de un ms. del poema, para ilustrar
un art. de Dámaso Alonso (véase *Bibliografía selecta
sobre el autor*, p. 65).

MARINERO EN TIERRA (1924). (Tercera edición). Buenos Aires,
Ed. Losada (1966). 16.º, 164 págs. Col. "Biblioteca Clá-
sica y Contemporánea", núm. 158.
Tercera tirada de la ed. de 1945 en la "Biblioteca
Contemporánea" (con nuevo nombre y nueva cubierta).
Es la quinta ed. de MET.

POEMAS DE AMOR. Con dos puntas secas del autor. (Madrid-
Barcelona), Ed. Alfaguara (1967). 4.º, 141 págs. Col. "El
Gallo en la torre" (los 1064 primeros ej.) y "Amans
Amens" (1000 ej.).
Ed. de lujo impresa en los talleres de la Editorial
Casal i Vall de Andorra la Vieja. Contiene, entre otras
poesías, 14 canciones de LA.

Joselito en su gloria. En *Litoral* (Málaga) [segunda serie],
n.º 1, mayo 1968. De ADA.

Verano [Soneto 3 a F. G. Lorca]; *Nana de la tortuga*;
"Branquias quisiera tener"; "Si mi voz muriera en
tierra"; "¡Castellanos de Castilla"; "¡Marineros, mis
zapatos!"; "Ya no sé, mi dulce amiga"; *El ángel confitero*; "No puedo, hasta la verbena" [de *La Húngara*];
A Jean Cassou; *Nana* ("Yo no sé de la niña"); "Saber
que tengo que irme" [de *La Encerrada*]; *Muerte*; *Can-*

ción para Emilio. En *Litoral* (Málaga) [segunda serie], núm. 3, ago.-sept. 1968.

Las tres primeras poesías, de MET; las tres siguientes, de LA; las últimas, de ADA (menos la *Canción,* incluida en una carta del poeta a Emilio Prados publ. en el mismo núm. de la revista, que es todo un homenaje a Rafael Alberti). Contiene además poesías de otros libros de éste y dibujos suyos, así como el texto de Bergamín *El Alegre* (prólogo de LAPlut y LACont). (Véase la *Canción para Emilio* en el *Apéndice primero,* p. 264).

El Niño de la Palma (chuflillas). En *Litoral* (Málaga) [segunda serie], n.º 4, oct.-nov. 1968. De ADA.

Navidad, Los tres noes, Vísperas de la huida a Egipto. En *Litoral* (Málaga) [segunda serie], n.º 5, dic. 1968-ene. 1969. De ADA.

LIBRO DEL MAR. POEMAS. Selección de Aitana Alberti. Fotografías de F. Catalá Roca. Barcelona, Palabra e Imagen, 1968, 4.º cuadrado, 132 págs., láms.

Antología de poesías de tema marino de Alberti, hecha por su hija; entre ellas, algunas de MET.

MARINERO EN TIERRA (1924). Ilustraciones del autor. Madrid, Biblioteca Nueva, 1968. 8.º, 205 págs.

Con una fotografía en frontispicio: "El poeta, hacia 1924-25". Ilustrado por dieciocho dibujos originales en negro, y uno en color en la sobrecubierta, de Alberti. Precedido de *Recuerdo y homenaje,* por Miguel Ruiz-Castillo (director de la editorial), fechado en Madrid, marzo de 1968 (pp. 9-11); en la p. 9, se reproduce el juicio autógrafo de A. Machado sobre el libro (véase *Introducción biográfica y crítica,* p. 35). El vol. contiene los mismos poemas que la ed. de Buenos Aires, 1945, pero en ordenación distinta.

POEMAS ANTERIORES A MARINERO EN TIERRA, 1920-1923. Barcelona, Ediciones V.A., 1969. Edición para bibliófilos, prologada y liricografiada por el poeta, e impresa a mano por Abel Vallmitjana.

"A la sombra de una barca". En *Litoral* (Málaga) [segunda serie], n.º 15-16, nov. 1970. En la ed. príncipe de ADA, y luego en MET en Pl y ed. sucesivas. Impreso en la cubierta de la revista.

POESÍA (1924-1967). Edición al cuidado de Aitana Alberti. (Madrid), Aguilar (1972). 8.º, XX-1322 págs. Col. "Biblioteca de Autores Modernos".

Con una foto y un facsímile de la firma del poeta en frontispicio. Sin colofón (pero publicado hacia abril de 1972). Contiene los *Primeros poemas* (pp. 6-8) descritos en los dos primeros artículos de la presente bibliografía, y los libros MET (pp. 9-96), LA (pp. 97-135; seguido de *Dos estampidas reales,* pp. 137-144) y ADA (pp. 145-234) tales como aparecieron en PC. (Notemos que esta edición recoge sólo una parte de la obra poética de Alberti posterior a 1929). Los *Primeros poemas* y MET van precedidos de un corto texto de presentación por el poeta (p. 3 y p. 11); LA, de *El Alegre* por José Bergamín (p. 99); ADA, de un fragmento de AP.

MARINERO EN TIERRA. LA AMANTE. EL ALBA DEL ALHELÍ. Edición, introducción y notas de Robert Marrast. Madrid, Castalia (1972). 8.º, 295 págs. Col. "Clásicos Castalia", 48.

Con 12 ilustraciones. Primera tirada de la presente edición, acabada de imprimir el 4 de octubre de 1972.

CANCIONES DEL ALTO VALLE DEL ANIENE Y OTROS VERSOS Y PROSAS (1967-1972). Buenos Aires, Ed. Losada (1972). 8.º, 255 págs. Col. "Biblioteca Clásica y Contemporánea", núm. 389.

Acabado de imprimir el 16 de diciembre de 1972, "día en que el poeta cumple setenta años". Tirada de 10.000 ejemplares, más 200 en papel especial, fuera de comercio. Las pp. 189-254 contienen, bajo el título *Poesías anteriores a "Marinero en Tierra"* la mayor parte de los versos publicados en la edición para bibliófilos de 1969, precedidos de un prólogo del autor e ilustrados (p. 191) por un grabado de Norah Borges aparecido en el número 23 de *Ultra,* 1.º de febrero de 1922. Las pp. 193-255, en papel azul.

Soneto ("Sal tú, bebiendo campos y ciudades"). En *Litoral* (Málaga) [segunda serie], n.º 8-9, sept. 1969. De MET.

El Niño de la Palma (chuflillas). En *Litoral* (Málaga) [segunda serie], n.º 21-22, sept. 1971. De ADA (facsímil del ms. de Alberti, dedicado a A. Ordóñez).

II. OTRAS OBRAS DE RAFAEL ALBERTI CITADAS EN LA PRE-
SENTE EDICIÓN [2]

FERMÍN GALÁN (romance de ciegos en tres actos, diez episodios y un epílogo). Madrid (Chulilla y Ángel, impr.),
1931. 8.º, 224 págs.

DE UN MOMENTO A OTRO (drama de una familia española);
CANTATA DE LOS HÉROES Y LA FRATERNIDAD DE LOS PUE-
BLOS; VIDA BILINGÜE DE UN REFUGIADO ESPAÑOL EN FRAN-
CIA. Buenos Aires, Ed. Bajel, 1942. 8.º, 232 págs.

EL ADEFESIO (fábula del amor y las viejas), en tres actos.
Buenos Aires, Ed. Losada (1944). 16.º, 123 págs. Col.
"Biblioteca Contemporánea", núm. 126.

IMAGEN PRIMERA DE... Buenos Aires, Ed. Losada (1945). 16.º,
177 págs. Col. "Biblioteca Contemporánea", núm. 168.

TEATRO: EL HOMBRE DESHABITADO; EL TRÉBOL FLORIDO; LA
GALLARDA. Buenos Aires, Ed. Losada (1950). 8.º, 215
págs. Col. "Gran teatro del mundo".

LA ARBOLEDA PERDIDA. Libros I y II de memorias. Buenos
Aires, Compañía General Fabril Editora (1959). 8.º,
331 págs. Col. "Testimonios".

LOPE DE VEGA Y LA POESÍA CONTEMPORÁNEA, seguido de LA
PÁJARA PINTA (guirigay lírico-bufo-bailable, 1925). Prólogo de Robert Marrast. París, Centre de Recherches
de l'Institut d'Études Hispaniques (1964). Peq. 8.º, XVI-
91 págs. Col. "Pages oubliées, pages retrouvées", núm. 2.
Reedición de la conferencia publicada en la *Revista
cubana* (La Habana), I, núm. 3, abr.-mayo-jun. 1935,
y primera ed. de *La Pájara pinta* (prólogo y acto primero). Ed. numerada de 1000 ej.

PROSAS ENCONTRADAS (1924-1942). Recogidas y presentadas
por Robert Marrast. Prólogo de Pablo Corbalán (Madrid), Ed. Ayuso (1970). 8.º, 197 págs. 2.ª ed.; (1973).

---

[2] Citamos únicamente las ediciones que manejamos, prescindiendo
de sus impresiones anteriores o posteriores.

8.º, 255 págs. (Con una ilustración en la cubierta por Juan Manuel Domínguez, una *Estrofa para este libro* [facsímile] y varios dibujos de R. Alberti; sin el prólogo de Pablo Corbalán).

Primera recolección de prosas y entrevistas de Rafael Alberti inéditas en libro, entre las cuales la autobiografía publ. en *La Gaceta literaria,* núm. 49, 1 ene. 1929 (y reproducida en *Revista portuense,* 9 ene. 1929) y la conferencia dictada en Berlín en nov. 1932, publ. en Iena-Leipzig, W. Gronau Verlag, 1933 (respectivamente, pp. 25-28 y pp. 87-103 de la 1.ª ed.: pp. 27-30 y pp. 115-133 de la 2.ª).

BIBLIOGRAFÍA SELECTA SOBRE EL AUTOR [1]

I. Estudios sobre Rafael Alberti

Aleixandre, Vicente. "Dos lecturas de Rafael Alberti". *Ínsula*, núm. 198, mayo 1963.

Alonso, Dámaso. "Rafael entre su arboleda". *Ínsula*, número 198, mayo 1963.

[Anónimo]. "An andalusian poet". *The Times Literary Supplement* (Londres), March 6, 1948.

Cassou, Jean. "Rafael Alberti, *Marinero en tierra*". *Mercure de France* (París), t. CXCIII, 15 janv. 1927.

Couffon, Claude. *Rafael Alberti*. Présentation, choix de textes, traduction, bibliographie (Paris), P. Seghers (1966). Col. "Poètes d'aujourd'hui", núm. 135.

Delogu, Ignazio. *Rafael Alberti*. Florencia, La Nuova Italia, 1972.

Díez-Canedo, E[nrique]. "Sobre *Marinero en tierra*". *El Nacional* (México), 17 ene. 1926.

———. "Poetas jóvenes de España: Rafael Alberti". *La Nación* (Buenos Aires), 18 sept. 1929; *Revista portuense* (Puerto de Santa María), 20 y 21 sept. 1929.

Fernández Almagro, M[elchor]. "Mar de Alberti". *La Verdad. Sup. literario* (Murcia), año IV, núm. 58, 8 oct. 1926.

G[iménez] C[aballero], E[rnesto]. "La Amante", *La Gaceta literaria*, I, núm. 3, 1 febr. 1927.

Gómez, Fernán. "Notas sobre Alberti". *El Defensor de Granada*, 21 abr. 1926.

---

[1] Sólo se incluyen aquí los trabajos de útil consulta para el conocimiento de la biografía de Rafael Alberti en su primera época o para el estudio de MET, LA y ADA exclusivamente.

González Lanuza, Eduardo. "Homenaje a Rafael Alberti". *Sur* (Buenos Aires), núm. 281, marzo-abr. 1963.

————. *Rafael Alberti* [Estudio y antología] (Buenos Aires), Ed. culturales argentinas (1965). "Clásicos universales".

Grant, Helen F. "La poesía de Rafael Alberti". *Boletín del Instituto Español* (Londres), jun. 1948, núm. 8.

González Martín, Jerónimo Pablo. "La 'prehistoria poética' de Rafael Alberti". *Ínsula*, núm. 313, dic. 1972.

Gullón, Ricardo. "Alegría y sombras de Rafael Alberti (primer momento)". *Ínsula*, núm. 198, mayo 1963.

Larralde, Pedro. "El mar, el toro y la muerte. Interpretación de los temas fundamentales de la poesía de Rafael Alberti". *Sustancia* (Tucumán), IV, núm. 14, 1943.

Lepaysant, Françoise. *Aspectos del lenguaje poético de Rafael Alberti*. Tesis de licenciatura bajo la dir. del Prof. Gagnepain. Facultad de Letras de Rennes (Francia), oct. 1962. Ejs. mecanografiados.

López Muñoz, Mariano. "Marinero en tierra". *Revista portuense*, 7 febr. 1926.

Magny, Olivier de. "Rafael Alberti". *Les Lettres Nouvelles* (Paris), 3ème année, n.º 26, avr. 1955.

Marrast, Robert. *Le théâtre de Rafael Alberti*. Tesis de licenciatura bajo la dir. del prof. A. Rumeau. Facultad de Letras de Burdeos, oct. 1953. Ejs. mecanografiados.

————. "Essai de bibliographie de Rafael Alberti". *Bulletin Hispanique* (Burdeos), t. LVII, 1955; *Id.,* "Addenda et corrigenda", *ibid.,* t. LIX, 1957.

————. "Rafael Alberti et l'Andalousie". *Lundi-Matin* (Túnez), 25 mar. 1957.

————. *Aspects du théâtre de Rafael Alberti*. París, S. E. D.E.S., 1967.

Matulka, Barbara. "Marinero en tierra". *Hispania* (California), IX, abr. 1928.

Monguió, Luis. "The poetry of Rafael Alberti". *Hispania,* XLIII, 1960.

[Pérez Ferrero, Miguel]. "Una figura en siete días: Rafael Alberti". *Heraldo de Madrid,* 26 feb. 1931.

Pérez Gutiérrez, F. "Alberti antes de Alberti". *Triunfo,* núm. 601, 6 abr. 1974.

Prieto, Gregorio. "Arboleda encontrada de una adolescencia perdida". *Papeles de Son Armadans,* año VIII, t. XXX, núm. LXXXVIII, jul. 1963.

Proll, Eric. "*Popularismo* and *barroquismo* in the poetry of Rafael Alberti". *Bulletin of Spanish Studies* (Liverpool), XIX, jan.-apr. 1942.

Quiñones, Fernando. "Tres toques rápidos a la poesía de Rafael Alberti". *Cuadernos Hispanoamericanos,* núm. 53, mayo 1963.

———. "Robert Marrast y el primer Alberti". *Cuadernos Hispanoamericanos,* núm. 274, abr. 1973.

Quiroga Plá, José María. "Ulises adolescente". *Revista de Occidente,* LXIX, marzo 1929.

R[ío] Á[ngel del]. "Poesía 1924-1930" [Reseña]. *Revista Hispánica Moderna* (Nueva York), II, núm. 3, 1936.

Rousselot, Jean. "Universalité et tradition chez Rafael Alberti". *Simoun* (Orán), 2ème année, nouvelle série, núms. 11-12 [1953].

Salado, J[osé] L[uis]. "Rafael Alberti de niño quería ser pintor" [Interviú]. *Cervantes* (La Habana), VII, 1931, núms. 3-4. [Reproducida en: R. Alberti, *Páginas encontradas,* Madrid (1970) y (1973)].

Sergueiev, N. "Rafael Alberti" [Bio-bibliografía]. *Knijnye Novosti* (Moscú), núm. 3, 1937.

[Salinas, Pedro]. "La poesía de Rafael Alberti". *Índice literario,* III, núm. 9, nov. 1934. [Reproducido en: P. Salinas, *Literatura española. Siglo XX,* México, Ant. Libr. Robredo, 1941; 2.ª ed., 1948.]

Salinas de Marichal, Solita. "Los paraísos perdidos de Rafael Alberti". *Ínsula,* núm. 198, mayo 1963.

———. *El mundo poético de Rafael Alberti.* Madrid, Ed. Gredos (1968).

Spang, Kurt. *Rafael Alberti, Dichter der Unrast.* Berlín, 1971 (tesis doctoral).

Vivanco, Luis Felipe. "Rafael Alberti en su palabra acelerada y vestida de luces". *Papeles de Son Armadans,* núm. XVI, jul. 1957. [Reproducido en su libro *Introducción a la poesía española contemporánea,* Madrid, Ed. Guadarrama, 1957.]

Zapata Acosta, Ramón. *El poeta Rafael Alberti.* Tesis de Master of Arts, Columbia University (Nueva York), 1950. Inédita.

Zardoya, Concha. "La técnica metafórica en la poesía española contemporánea: Rafael Alberti". *Cuadernos Americanos* (México), 1961, núm. 3; con el título: "La téc-

nica metafórica albertiana (en *Marinero en tierra*)", en
Papeles de Son Armadans, año VIII, tomo XXX, núm.
LXXXVIII, jul. 1963.

II. ESTUDIOS SOBRE POESÍA ESPAÑOLA MODERNA

Aleixandre, Vicente. *Los encuentros*. Madrid, Ed. Guadarrama (1958).

Alonso, Dámaso. *Poetas españoles contemporáneos*. Madrid,
Ed. Gredos (1952).

Aub, Max. *La poesía española contemporánea*. México, Imp.
Universitaria, 1954.

Bergamín, José. *Caracteres*. Málaga, Imp. Sur, 1926. [Re-
impr. en *Caballito del diablo*, Buenos Aires, Losada
(1942).]

———. "El idealismo andaluz". *La Gaceta literaria*, I, núm.
11, 1 jun. 1927.

Cassou, Jean. *Panorama de la littérature espagnole contem-
poraine*. Paris, Éd. du Sagittaire (1929).

Cirre, José Francisco. *Forma y espíritu de una lírica española. Nota sobre la renovación poética de 1920 a 1935*.
México, 1950.

Connell, Geoffrey W. *Andalusia in Modern Spanish Poetry*.
Tesis de Master of Arts; Manchester, 1953. Inédita.

Chabás Martí, Juan. *Vuelo y estilo. Estudios de literatura
contemporánea*. Madrid, 1934.

———. *Literatura española contemporánea* (1895-1950). La
Habana, Cultural, 1950.

Debicki, Andrew P. *Estudios sobre poesía española contemporánea. La generación de 1924-1925*. Madrid, Ed. Gredos, 1958.

Díez-Canedo, E[nrique]. "Nuevos versos, nuevos poetas".
La Nación (Buenos Aires), 17 ene. 1926.

———. "La producción literaria española en el segundo
semestre de 1926". *La Nación* (Buenos Aires), 14 febr.
1926.

———. "La luz del mediodía: *Litoral*". *El Sol*, 11 mar.
1927.

Espinosa García, Agustín. "*Tres corredores de los fuegos
artificiales andaluces*" [Jiménez, Alberti, Lorca]. *La Rosa
de los vientos*, núm. 5, ene. 1928.

Fernández Almagro, M[elchor]. "Nómina incompleta de la joven literatura". *Verso y Prosa* (Murcia), núm. 1, ene. 1927.

Florit, Eugenio. "La lírica española e hispanoamericana después del modernismo". *Cuadernos de la Universidad del Aire*, 2.º curso, núm. 26, 1933.

Gómez de Baquero, E[duardo]. "De la actual poesía española". *Síntesis* (Buenos Aires), II, núm. 15, ag. 1928.

González Muela, Joaquín. "El aspecto verbal en la poesía moderna española". *Revista de Filología española,* tomo XXXV, 1951.

———. *El lenguaje poético de la generación Guillén-Lorca.* Madrid, Ínsula, 1954.

Guerrero Ruiz, Juan. *Juan Ramón de viva voz* [Ed. y pról. de Ricardo Gullón]. Madrid, Ínsula, 1961.

Guillén, Jorge. "Algunos poetas amigos". *Papeles de Son Armadans,* año III, t. XI, núms. XXXII-III, nov.-dic. 1958.

Huerta, Eleazar. "Trayectoria de la poesía contemporánea española". *Atenea* (Concepción, Chile), 1940, núm. LX.

Jarnés, Benjamín. "Viento, playa, bruma". *Revista de Occidente,* XV, 1927.

Lassaigne, J[acques]. "Poètes espagnols". *Le Figaro* (Paris), 21 janv. 1933.

Martínez Alonso, Manuel. *El Puerto de Santa María en la literatura española. Ensayo de una geografía literaria* (Madrid, Gráf. Halar, 1962).

Mora Guarnido, J. "Dos poetas andaluces: Federico García Lorca y Rafael Alberti". *La Pluma* (Montevideo), IV, 1928.

Morris, C. B. *A Generation of Spanish Poets 1920-1936.* Cambridge, At the University Press, 1969.

Parrot, Louis. *Où habite l'oubli.* Genève, Éd. du Continent (1944).

Ruiz-Castillo Basala. *Memorias de un editor* (Madrid), Ed. de la Revista de Occidente (1972).

Salinas, Pedro. *Ensayos de literatura hispánica...* Ed. y pról. de Juan Marichal. Madrid, Aguilar, 1958.

Sassone, Felipe. "Literatos y toreros". *ABC,* 24 mayo 1927.

Serrano Plaja, Arturo. "Dos poetas: el andaluz y el gitano" [Alberti y Lorca]. *El Sol,* 15 mayo 1932.

Siebenmann, Gustav. *Los estilos poéticos en España desde 1900*. Madrid, Ed. Gredos, 1972.

Souviron, José María. *La nueva poesía española*. Santiago de Chile, Ed. Nascimiento, 1932.

Spitzer, Leo. *La enumeración caótica en la poesía moderna*. Buenos Aires, Fac. de Fil. y Letras, 1945.

Val, Manuel de. "Vanguardismo y clasicismo: Los poetas españoles del 27". *Cultura Universitaria* (Caracas), núm. 37, 1953.

Valbuena Prat, Ángel. *La poesía contemporánea española*. Madrid, C.I.A.P. (1930).

Vivanco, Luis Felipe. *Introducción a la poesía española contemporánea*. Segunda ed. Madrid, Ed. Guadarrama, 1971. 2 vols.

Zardoya, Concha. *Poesía española contemporánea. Estudios temáticos y estilísticos*. Madrid, Ed. Guadarrama, 1961.

Zuleta, Emilia de. *Cinco poetas españoles (Salinas, Guillén, Lorca, Alberti, Cernuda)*. Madrid, Ed. Gredos, 1971.

NOTA PREVIA

En una edición crítica, se suele reproducir la última publicada por el autor, y señalar en notas de pie de página las variantes encontradas en las anteriores o en las prepublicaciones fragmentarias en periódicos o revistas. En la presente, no hemos respetado esta regla general por varias razones de índole bibliográfica que vamos a exponer.

Después de las primeras ediciones de MET (1925)[1] y ADA (1928), Alberti sólo reprodujo una selección de estos dos libros en los volúmenes en que recogió sus versos: P1 (1934), P2 (1938), P3 (1940) y P4 (1946).[2] En estos volúmenes, algunas canciones de la edición príncipe de ADA pasaron a formar parte de MET, que también se incluyeron en las reediciones de este último libro (METS, METCont 45, METCont 57, METCont 66 y METBN), así como en PC y PA.[3] Por

[1] Véase, a continuación de la presente *Nota*, el índice de las siglas.
[2] Lo mismo que en la *Noticia bibliográfica*, no tenemos en cuenta aquí los tomos de la "Biblioteca Contemporánea" de Losada, titulados *Antología poética* y editados entre 1942 y 1972.
[3] Habíamos escrito en nuestro "Essai de bibliographie de Rafael Alberti", *Bulletin Hispanique*, LVII, 1955, p. 149, núm. 4 (y lo han repetido después varios estudiosos de la obra del poeta), que METS y METCont 45 contenían poesías inéditas que no figuraban en la primera edición de 1925, pero sí en P1. En realidad, no se trata de canciones inéditas, porque habían sido publicadas en ADA en 1928. El origen de esta confusión nuestra —de la que pedimos disculpa— fue la extrema rareza de los ejemplares de la edición

otra parte, la *Estampida real del vaquero y la pastora*
y la *Estampida celeste de la Virgen, el arcángel, el
lebrel y el marinero,* que figuraban en la edición príncipe de ADA, fueron reproducidas, bajo el título *Dos
estampidas reales* a continuación de LACont (1946), [4]
y luego en PC y PA, después de LA y antes de ADA,
en los tres casos con la fecha de 1925. La ordenación
de las canciones de MET (incluyendo las que proceden
de ADA primitivo), no es la misma en las sucesivas
ediciones; además, el número de piezas escogidas de
MET y ADA no es constante en P1, P2, P3 y P4. En
fin, hay en la primera edición de MET nueve poesías
que Alberti suprimió en las posteriores; en cambio,
incluyó en ADA, a partir de P1, la composición titulada
¡El tonto de Rafael!, publicada por primera vez en
Lola en abril 1928, y suprimió definitivamente cinco
canciones del mismo libro.

La única diferencia entre LALit (1926) [5] y LAPlut
(1929) es que ésta contiene una poesía más que aqué-
lla, la titulada *El Cristo de Burgos* (que empieza "¡Por
mis más negros difuntos"). Puede ser que se trate de
una involuntaria omisión, sea del autor al poner su
manuscrito en limpio, sea de los tipógrafos-poetas de
la Imprenta Sur, fácilmente explicable por el hecho
de que dos canciones llevan el mismo título. Otra omisión: el subtítulo de la primera parte, *Hacia las tierras
altas,* restablecido en la tercera edición (ADACont,
1946) y en PC, no consta ni en LALit ni en LAPlut.
Falta, en cambio, en ADACont, PC y PA, la antepe-

príncipe de ADA, que no tuvimos entonces la posibilidad de cotejar
con las posteriores. Para preparar la presente, hemos podido manejar
el ejemplar que posee nuestro queridísimo amigo François Lopez, a
quien aprovechamos la ocasión de repetir nuestro agradecimiento.

[4] Y no a continuación de la segunda edición de ADA (ADACont),
como un error de ajuste nos hizo escribir en nuestra bibliografía
de Alberti citada en la nota anterior.

[5] Damos las más expresivas gracias a D. León Sánchez Cuesta,
quien tuvo la gentileza de poner a nuestra disposición su ejemplar
personal de la hoy rarísima edición de 1926 de LA para cotejarlo
con la de 1929 (LAPlut).

núltima canción ("Compañero, amante mío"), suprimida por el autor.

Por razones de claridad, y en vista de la suma rareza de las primeras ediciones de MET, LA y ADA (agotadas desde hace mucho tiempo, y hoy joyas bibliográficas poco corrientes), así como de las notables diferencias que existen entre éstas y las recientes fácilmente asequibles en la actualidad, hemos optado por seguir las siguientes normas:

—Reproducción textual de la edición príncipe de MET;

—Reproducción de la segunda edición de LA (LAPlut), es decir incluyendo en su lugar la canción que falta en la primera (LALit) y la antepenúltima suprimida en las posteriores, y restableciendo, como en LACont, el subtítulo de la primera parte;

—Reproducción textual de la edición príncipe de ADA, seguida de la poesía *¡El tonto de Rafael!*

De este modo, el lector tendrá a su disposición los tres libros tales como se presentan en su primer estado completo. En las notas de pie de página, citamos:

a) las prepublicaciones (cuyas referencias detalladas figuran en la *Noticia bibliográfica*) en revistas o periódicos y anteriores a la primera edición pública completa de cada libro (en el caso de ADA, editado primero en edición privada, consideramos como primera edición pública completa ADACont de 1947);

b) las variantes, cuando las haya (prescindiendo de las erratas de imprenta evidentes);

c) las aclaraciones necesarias. [6]

---

[6] Prescindimos desde luego en las notas de comentarios sobre personajes o lugares muy conocidos. A pesar de ello, podrán parecer superfluas a ciertos lectores españoles algunas aclaraciones nuestras; pero hemos pensado que, dado el carácter de la colección de "Clásicos Castalia", tendrían alguna utilidad para los extranjeros, y especialmente para los estudiantes.

Los cuadros contenidos en el *Apéndice segundo* (pp. 265-280) permiten la identificación rápida de las composiciones

a) escogidas para figurar en P1, P2, P3 y P4;

b) trasladadas de ADA a MET en las ediciones posteriores a la primera de cada libro;

c) definitivamente suprimidas en las mismas; [7]

d) presentadas en una ordenación distinta en las diversas ediciones.

De este modo, es fácil reconstruir el contenido exacto de cada una de las ediciones.

R. M.

___

[7] Son las cuyo título o primer verso va seguido de un asterisco en los citados cuadros.

ÍNDICE DE LAS SIGLAS UTILIZADAS
EN LA PRESENTE EDICIÓN [1]

ADA	= *El Alba del alhelí.*
ADACont	= *El Alba del alhelí,* ed. de Buenos Aires, 1947.
AP	= *La Arboleda perdida,* ed. de Buenos Aires, 1959.
CAVA	= *Canciones del Alto Valle del Aniene,* Buenos Aires, 1972.
LA	= *La Amante.*
LACont	= *La Amante,* ed. de Buenos Aires, 1946.
LALit	= *La Amante,* ed. de Málaga, 1926.
LAPlut	= *La Amante,* ed. de Madrid, 1929.
MET	= *Marinero en tierra.*
METBN	= *Marinero en tierra,* ed. de Madrid, 1968.
METCont 45	= *Marinero en tierra,* ed. de Buenos Aires, 1945.
METCont 57	= *Marinero en tierra,* ed. de Buenos Aires, 1957.
METCont 66	= *Marinero en tierra,* ed. de Buenos Aires, 1966.
METP	= *Marinero en tierra,* ed. bilingüe de París, 1957.
METS	= *Marinero en tierra,* ed. de Buenos Aires, 1942.
P1	= *Poesía 1924-1930,* Madrid, 1934.
P2	= *Poesía 1924-1937,* Madrid, 1938.
P3	= *Poesía 1924-1939,* Buenos Aires, 1940.
P4	= *Poesía 1924-1944,* Buenos Aires, 1946.
PA	= *Poesía (1924-1967),* Madrid, 1972.
PC	= *Poesías completas,* Buenos Aires, 1961.
SSM	= Solita Salinas de Marichal, *El mundo poético de Rafael Alberti,* Madrid, 1968.

[1] Véase la descripción detallada de los libros citados de Alberti en la *Noticia bibliográfica,* pp. 51-53, y la del libro de Solita Salinas en la *Bibliografía selecta sobre el autor,* p. 67.

RAFAEL ALBERTI

MARINERO EN TIERRA

POESÍAS

(1924)

PREMIO NACIONAL DE LITERATURA 1924-25

BIBLIOTECA NUEVA

MADRID

1925

Rafael Alberti. Dibujo de Vázquez Díaz para la
edición de *Marinero en tierra*, 1925

MARINERO EN TIERRA

PRIMERA PARTE

SUEÑO DEL MARINERO [1]

Yo, marinero, en la ribera mía,
posada sobre un cano y dulce río
que da su brazo a un mar de Andalucía,

    sueño en ser almirante de navío,
para partir el lomo de los mares, [2]   5
al sol ardiente y a la luna fría.

    ¡Oh los yelos del sur! ¡Oh las polares
islas del norte! ¡Blanca primavera,
desnuda y yerta sobre los glaciares,

    cuerpo de roca y alma de vidriera!   10
¡Oh estío tropical, rojo, abrasado,
bajo el plumero azul de la palmera!

    Mi sueño, por el mar condecorado,
va sobre su bajel, firme, seguro,
de una verde sirena enamorado,   15

    concha del agua allá en su seno oscuro.
¡Arrójame a las ondas, marinero:
—Sirenita del mar, yo te conjuro!

[1] En METCont, PC, METBN y PA: *Prólogo / Sueño del marinero.*
[2] V. 5 Sin coma al final en METS, METCont, METBN y PA.

¡Sal de tu gruta, que adorarte quiero,
sal de tu gruta, virgen sembradora,   20
a sembrarme en el pecho tu lucero! [3]

Ya está flotando el cuerpo de la aurora
en la bandeja azul del oceano
y la cara del cielo se colora

de carmín. Deja el vidrio de tu mano   25
disuelto en la alba urna de mi frente,
alga de nácar, cantadora en vano

bajo el verjel azul de la corriente.
¡Gélidos desposorios submarinos,
con el ángel barquero del relente   30

y la luna del agua por padrinos!
El mar, la tierra, el aire, mi sirena,
surcaré atado a los cabellos finos

y verdes de tu álgida melena.
Mis gallardetes blancos enarbola,   35
¡oh marinero!, ante la aurora llena

¡y ruede por el mar tu caracola!

SONETOS ALEJANDRINOS

A JUAN ANTONIO ESPINOSA,
CAPITÁN DE NAVÍO [4]

Homme libre, toujours tu chériras la mer.
C. B. [5]

Sobre tu nave —un plinto verde de algas marinas,
de moluscos, de conchas, de esmeralda estelar—,

---

[3] V. 19-21 Sin punto de admiración en todas las ed. posteriores.
[4] Juan Antonio Espinosa Echeverría, novelista, es el hermano de
Celestino, amigo de juventud de Alberti. Dice de él el poeta: "No
creo que fuera entonces [en 1924] capitán, y menos de navío, pero

capitán de los vientos y de las golondrinas,
fuiste condecorado por un golpe de mar.

Por ti los litorales de frentes serpentinas,   5
desenrollan al paso de tu arado un cantar:
—Marinero, hombre libre, que las mares declinas,
dinos los radiogramas de tu estrella Polar.

Buen marinero, hijo de los llantos del norte,
limón del mediodía, bandera de la corte [6]   10
espumosa del agua, cazador de sirenas;

todos los litorales amarrados, del mundo.
pedimos que nos lleves en el surco profundo
de tu nave, a la mar, rotas nuestras cadenas.

A CLAUDIO DE LA TORRE, [7]
DE LAS ISLAS CANARIAS

Yo sé, Claudio, que un día tus islas naturales
navegarán con rumbo hacia la playa mía,

---

yo lo admiraba mucho por el solo hecho de saberlo navegando en
no sé qué flotilla pesquera del Golfo de Vizcaya" (AP, p. 167). Los
hermanos Espinosa habían sido compañeros de Dámaso Alonso en
el Colegio de Nuestra Señora del Recuerdo de Chamartín de la
Rosa. Juan Antonio se hizo luego marino. Celestino, muerto hace
ya largos años, hacía revistas de toros que firmaba con un seudóni-
mo catalán. Por Celestino llegó Dámaso Alonso a ser amigo de
Alberti (D. Alonso, "Rafael entre su arboleda", *Ínsula*, mayo 1963,
n.° 198).
   En todas las ed. posteriores: *A un capitán de navío*; Poesía publ.
en *Rev. de Occidente*, jul. 1925.
   5 En todas las ed. posteriores: *Ch. Baudelaire*. Primer verso del
soneto *L'Homme et la mer* del libro *Les Fleurs du mal*.
   6 V. 10 En METBN: Limón de mediodía, bandera de la corte
   7 Claudio de la Torre y Millares (Las Palmas de Gran Canaria,
1897 - Madrid, 11 enero 1973); poeta, novelista y autor dramático,
ha sido director del Teatro María Guerrero y del Museo del Teatro.
Fue él quien animó a Alberti, muy amigo suyo en sus primeros años
de poeta, a presentarse al Premio Nacional de Literatura, que él
mismo obtuviera en 1924 por su novela *En la vida del señor alegre*.
"Este soneto —dice el poeta— era el homenaje del marinero en tierra
al nuevo amigo que llegaba de lejos, con el prestigio de saberlo
habitante de unas verdes riberas ceñidas por las olas oceánicas" (AP,
pp. 178-179).

y, verdes cañoneros, mirando a Andalucía,
dispararán al alba sus árboles frutales.

¡Oh Claudio! ¡El mar me llama! Nómbrame
                              [marinero,   5
el último aunque sea, de tu marinería.
Sé almirante, el más bueno, de la piratería,
y así de tus bajeles serás siempre el primero.

¡Dios! ¡Yo ladrón de mares, firme, en Fuerte-
                              [ventura,
y tú sobre las Palmas!
                    —Su escueta arboladura, [8]   10
mi almirante, en la aurora enristran dos navíos...

—¡Cañonead con plátanos las máquinas de gue-
                              [rra,
con dátiles dorados la frente de la tierra
y con glorias y hosannas estos bajeles míos!

A GREGORIO PRIETO Y RAFAEL ALBERTI [9]

Los dos, buenos pilotos del aire, subiríamos,
sobre los aviones del sueño, al alto soto
de la gloria, y al mundo, príncipes, bajaríamos [10]
el mirto y el laurel, la palmera y el loto.

Descender ya —¡qué dulce! ¡los héroes!— co-
                              [ronados   5
por los lampos celestes, sobre el carro del trueno,
con estrellas los fieros pechos condecorados, [11]
al mar de nuestra vida, ya esmeralda y sereno.

8 V. 10 En PC y PA, sin guión.
9 METCont, PC, METBN y PA: *Del poeta a un pintor*; en
METBN y PA, seguido de la dedicatoria: A Gregorio Prieto.
10 V. 3 En METCont, PC, METBN: de la gloria, y al mundo,
celestes, bajaríamos
11 V. 6-7 En METCont, PC, METBN y PA: por los súbitos lampos, sobre el carro del trueno / con estrellas los jóvenes pechos condecorados,

Y recordar, al toque final de la retreta,
la clara faz del alba, su voz hecha corneta   10
de cristal largo y fino, en la antigua mañana

que zarpamos del mundo sobre la crin del viento
y entramos en los cielos del estremecimiento,
bajo los gallardetes rosas de la diana.

SONETOS

1

A FEDERICO GARCÍA LORCA,
POETA DE GRANADA [12]

(Otoño)

En esta noche en que el puñal del viento
acuchilla el cadáver del verano,
yo he visto dibujarse en mi aposento
tu rostro moro de perfil gitano. [13]

Vega florida. Alfanjes de los ríos,   5
tintos en sangre pura de las flores.
Adelfares. Cabañas. Praderíos.
Por la sierra, cuarenta salteadores.

Despertaste a la sombra de una oliva,
junto a la pitiflor de los cantares.   10
Tierra y aire, tu alma fue cautiva... [14]

---

12 En METCont, PC, METBN y PA, debajo del título: (1924).
Uno de estos sonetos —probablemente el primero— fue escrito por
Alberti unos días después de su primer encuentro con García Lorca,
es decir en octubre de 1924; los otros dos, "algo más tarde, aunque
en el mismo año" (AP, p. 174).
13 V. 4 En METCont, PC, METBN y PA: tu rostro oscuro de
perfil gitano.
14 V. 11 En METCont, PC, METBN y PA: Tu alma de tierra y
aire fue cautiva...

Abandonando, dulce, sus altares,
quemó ante ti una anémona votiva
la musa de los cantos populares. [15]

2

(Invierno) [16]

Sal tú, bebiendo campos y ciudades,   15
en largo ciervo de agua convertido,
hacia el mar de las albas claridades,
del martín-pescador mecido nido;

que yo saldré a esperarte, amortecido, [17]
hecho junco, a las altas soledades,   20
herido por el aire y requerido
por tu voz, sola entre las tempestades.

Deja que escriba, débil junco frío,
mi nombre en esas aguas corredoras,
que el viento llama, solitario, río.   25

Disuelto ya en tu nieve el nombre mío,
vuélvete a tus montañas trepadoras,
ciervo de espuma, rey del monterío.

3

(Primavera) [18]

Todas mis novias, las de mar y tierra
—Amaranta, Coral y Serpentina,   30
Trébol del agua, Rosa, Leontina—, [19]
verdes del sol, del aire, de la sierra;

---

[15] V. 14 En PC y PA: el ángel de los cantos populares.
[16] En METCont, PC, METBN, PA y Litoral, n.º 3, ag.-sept. 1968: Verano; en Pl, P2 y MTS: A Federico García Lorca. Publicado otra vez en Litoral, núm. 8-9, sept. 1969.
[17] En METCont, PC, METBN y PA: que yo saldré a esperarte amortecido,
[18] Este soneto es el segundo de los tres dedicados a Lorca en METCont, PC, METBN y PA.
[19] V. 31 En METCont, PC, METBN y PA: Trébol del agua, Rosa y Leontina—,

contigo, abiertas por la ventolina,
coronándote están sobre las dunas,
de amarantos, corales y de lunas   35
de tréboles, al alga matutina. [20]

¡Vientos del mar, salid, y, coronado
por mis novias, mirad el dulce amigo [21]
sobre las altas dunas reclinado!

¡Peces del mar, salid, cantad conmigo: 40
—Pez azul yo te nombro, al desabrigo
del aire, pez del monte, colorado!

ALBA DE NOCHE OSCURA

Sobre la luna inmóvil de un espejo,
celebra una redonda cofradía
de verdes pinos, tintos de oro viejo,
la transfiguración del rey del día.

La plata blanda, ayuna de reflejo,   5
muere ya. Del cristal —lámina fría—
dice la voz del vaho en agonía:
—Doró mi lengua el sol, ¿de qué me quejo?

Las puertas del ocaso, ya cerradas,
tapian de luto el campo. Negros perros,   10
a lo que nadie sabe, ocultos, gritan,

Decapitando sueños, fatigas,
sobre el túmulo alto de los cerros
las estrellas del valle se marchitan.

[20] V. 36 En METCont, PC, METBN y PA: de tréboles del agua matutina.
[21] V. 38 En METCont, PC, METBN y PA: por mis novias, mirad al dulce amigo

SANTORAL AGRESTE

¿Quién rompió las doradas vidrieras
del crepúsculo? ¡Oh cielo descubierto,
de montes, mares, vientos, parameras
y un santoral de par en par abierto!

Tres arcángeles van por las praderas   5
con la Virgen marina al blanco puerto
del pescado; ayunando entre las fieras,
se disecan los Padres del desierto.

El Santo Labrador *peina la tierra*; [22]
Santa Cecilia pulsa los pinares,   10
y el perro de San Roque, por el río,

corre tras la paloma de la sierra,
para glorificarla en los altares,
bajo la luz de este soneto mío.

ROSA-FRÍA,
PATINADORA DE LA LUNA [23]

Ha nevado en la luna, Rosa-fría;
los abetos patinan por el yelo.

[22] V. 9 En METCont, PC, METBN y PA: El Santo Labrador
peina la tierra:
[23] Publ. en *Rev. de Occidente*, jul. 1925. Este poema inspiró
más tarde a María Teresa León, esposa de Alberti, la cual publicó
un libro con nueve deliciosos cuentos para niños titulado, como el
primero de ellos, *Rosa-fría, patinadora de la luna*, e ilustrado con
dibujos de nuestro poeta (Madrid, Espasa-Calpe, 1934. "Biblioteca
de la juventud"). *Rosa-fría* lleva en epígrafe el verso segundo del
soneto. El sexto cuento, *Flor del norte*, los v. 3 y 4 de la poesía
Madrigal de Blanca-Nieve (*infra*, p. 140); el último es *El pescador
sin dinero*, inspirado en la pieza del mismo título que forma parte
de *El alba del alhelí*, y de la que los versos 34-35, 2-3 y 7 están
citados en el texto de María Teresa León. Solita Salinas apunta que
se cruzan aquí la influencia de los *Poemas árticos* de Huidobro (1918)
y los recuerdos de viajes a Polonia y Rusia que contara a Rafael y
a sus hermanos su tío Vicente (SSM, pp. 80-81).

Tu bufanda, rizada, sube al cielo,
como un adiós que el aire claro estría.

¡Adiós, patinadora, novia mía!   5
De vellorí tu falda, da un revuelo
de campana de lino, en el pañuelo
tirante y nieve de la nevería.

Un silencio escarchado te rodea,
destejido en la luz de sus fanales,   10
mientras vas el cristal desquebrajando... [24]

¡Adiós, patinadora!
         El sol albea
las heladas terrazas siderales,
tras de ti, Malva-luna, patinando.

MALVA-LUNA-DE-YELO [25]

Las floridas espaldas ya en la nieve,
y los cabellos de marfil al viento.
Agua muerta en la sien, el pensamiento
color halo de luna cuando llueve.

¡Oh qué clamor bajo del seno breve;   5
qué palma al aire el solitario aliento; [26]
qué témpano, cogido al firmamento,
el pie descalzo, que a morir se atreve!

[24] V. 11 En todas las ed. posteriores (excepto METS y METCont
45): mientras vas el cristal resquebrajando...
[25] Véase el último verso del soneto anterior. Según S. Salinas,
es posible que el nombre del cuento de Gorki, *Malva*, que leyera
Alberti poco antes de escribir sus primeras canciones, le haya
sugerido el de la heroína de este soneto (SSM, p. 81). Véase *infra*,
la nota 134.
[26] V. 6 En PC: qué palma al aire solitario aliento! Además,
en las ed. posteriores, se añaden otros puntos de admiración en los
v. 5-13, con lo que no cambian ni el sentido ni el movimiento del
soneto.

¡Brazos de mar, en cruz, sobre la helada
bandeja de la noche; senos fríos,   10
de donde surte, yerta, la alborada;

oh piernas como dos celestes ríos,
Malva-luna-de-yelo, amortajada
bajo las mares de los ojos míos!

A ROSA DE ALBERTI,

QUE TOCABA, PENSATIVA, EL ARPA

(Siglo XIX)

Rosa de Alberti allá en el rodapié
del mirador del cielo se entreabría,
pulsadora del aire y prima mía,
al cuello un lazo blanco de moaré.

El barandal del arpa, desde el pie   5
hasta el bucle en la nieve, la cubría.
Enredando sus cuerdas, florecía [27]
—alga en hilos— la mano que se fue.

Llena de suavidades y carmines,
fanal de ensueño, vaga y voladora,   10
voló hacia los más altos miradores.

¡Miradla Querubín de querubines, [28]
del verjel de los aires pulsadora,
Pensativa de Alberti entre las flores!

[27] V. 7 En todas las ed. posteriores: Enredando sus cuerdas, verdecía
[28] V. 12 En todas las ed. posteriores: ¡Miradla querubín de querubines,

CATALINA DE ALBERTI
ITALO-ANDALUZA

(Siglo XIX) [29]

Llevaba un seno al aire, y en las manos
—nieve roja— una crespa clavellina.
Era honor de la estirpe gongorina
y gloria de los mares albertianos.

Brotó como clavel allá en los llanos   5
de Córdoba la fértil y la alpina;
y rodó como concha en la divina
perla azul de los mares sicilianos. [30]

Nunca la vi, pero la siento ahora
clavel de espuma, y nácar de los mares   10
y arena de los puertos submarinos.

Vive en el mar la que mi vida honora,
la que fue lustre y norte de mis lares [31]
y honor de los claveles gongorinos.

LA BATELERA Y EL PILOTO
SONÁMBULOS [32]

Sonámbula de espuma, cabellera
de nácar, y fanal esmerilado,
en un batel de concha de pescado,
rasga el vidrio del mar la batelera.

---

29 Falta esta parte del título en METBN.
30 V. 7-8 En todas las ed. posteriores: y rodó como estrella y
trasmarina / perla azul por los mares sicilianos.
31 V. 12 En todas las ed. posteriores: la que fue flor y norte
de mis lares
32 Este soneto fue suprimido por el autor en todas las ed. posteriores.

Un piloto de nieve, en la escollera,   5
iza un pañuelo de color lunado.
Soplo del alba y banderín alado,
vira el batel dormido a la ribera.

¡Hijas del mar, oh lobas litorales;
sombras yertas del fondo, marineros;   10
lámpara boreal del aire frío;

mirad cómo en las ondas los sedales
hunden los dos sonámbulos remeros...
como si el mar fuera un humilde río!

EL PINO VERDE

A Gregorio Prieto [33]

PRÓLOGO EN LA SIERRA [33 bis]

Mi corazón, repartido
entre la ciudad y el campo.

¡Luminarias de la noche!
¡Mis verdes sauces llorones!

¡Ay claras confiterías   5
de anises y de piñones!

¡El olor a trementina,
a suave alcol de romero,
del bosque!

¡Novia azul en la baranda   10
de los últimos balcones!

¡Novia del monte,
pobre!

[33] Faltan el título de esta subdivisión y la dedicatoria en METS,
METCont, PC, METBN y PA.
[33 bis] Sin título en PA.

BALCÓN DEL GUADARRAMA

(De 3 a 4)

Hotel de labios cosidos, [34]
de párpados entornados,
custodiado por los grillos,
débilmente
conmovido por los ayes   5
de los trenes.

El tren de la una...
el tren de las dos...
El que va para las playas
se lleva mi corazón.   10

Con la nostalgia del mar,
mi novia bebe cerveza
en el coche-restorán.

La luna va resbalando,
sola, por el ventisquero.   15
La luciérnaga del tren
horada el desfiladero.

De mí olvidada, mi novia
va soñando con la playa
gris perla del Sardinero. [35]   20

---

[34] V. 1 En METCont, PC, METBN y PA: Hotel de azules perdidos,

[35] Antes de citar los tres versos últimos de esta poesía, Alberti recuerda como sigue su estancia forzada (por razones de salud) en San Rafael de Guadarrama durante el verano de 1921: "Días estivales de reposo, tumbado en una cómoda *chaise-longue*, leyendo, escribiendo o absorbidos los ojos por el tranquilo viajar de las nubes. Tan sólo aquel silencio rumoroso era inquietado de tarde en tarde por el trajín de los ferrocarriles que iban hacia las playas veraniegas del norte" (AP, p. 150). El Sardinero es una playa de Santander.

CORREO [36]

Carta.
¿De dónde ha venido?

Carta tengo.
¿De quién será?

Un sello trae, de España   5
sellado en puerto de mar.

—*Regata de las banderas*
Doce lanchas cañoneras,
haciendo salvas al alba
de S.M. la Reina.   10

Cucaña, en el río.
Casetas de feria.
Girando, los tíos-vivos.
¡Luz del último cohete!—

(¡La novia, que se divierte!)   15

LA SIRENA DEL CAMPO [37]

Sonámbula, la sirena.
¡Seguidla por la ladera!

—Bajo la verde lluvia de dos sauces,
sola, una hamaca que columpia el aire—.

---

[36] Poesía suprimida por el autor en todas las ed. posteriores.
[37] Evocando la composición de las poesías de *Marinero en Tierra*, escribe Alberti: "Aquella novia apenas entrevista desde una azotea de mi lejana infancia portuense, se me fue transformando en sirena hortelana, en labradora novia de vergeles y huertos submarinos" (AP, p. 171). Estos temas reaparecen en efecto varias veces a lo largo del libro. La "novia apenas entrevista" es Milagritos Sancho; los amores —inocentes y platónicos— de los dos niños tuvieron por consecuencia la exclusión de Rafael Alberti del Colegio de San Luis Gonzaga del Puerto, en 1916 (AP, pp. 81-88).

Duerme, sirena del valle,   5
hija de la madreselva;
tus trenzas de perejil
se te enreden por la yerba.

El esquilón del buey padre [38]
da la hora de la siesta.   10

Bajo la verde lluvia de dos sauces,
sirena muerta, te columpia el aire.

SOLA

La que ayer fue mi querida
va sola entre los cantuesos.
Tras ella, una mariposa
y un saltamonte guerrero.

Tres veredas: 5
mi querida, la del centro;
la mariposa, la izquierda;
y el saltamonte guerrero,
saltando, por la derecha.

AYER Y HOY

Novia ayer del pino verde,
hoy novia del pino seco;
greñas ayer para el aire,
hoy senectud para el viento. [39]

Ayer

Cuando ibas a la ermita,   5
pastora de los altares,

[38] V. 9 En PC y PA: El esquilón de los bueyes.
[39] V. 4 En METCont, PC y METBN: hoy soledad para el viento.

calladas, las mariquitas
bajaban de los pinares.

La del más limpio escarlata, [40]
de negros puntos clavado,   10
era alfiler de corbata
en tu corpiño encarnado.

Hoy

Nido de orugas;
silencioso espantapájaros,
arado el cuerpo de arrugas. [41]   15

¡A VOLAR! [42]

Leñador,
no tales el pino,
que un hogar
hay dormido
en su copa.   5

—Señora abubilla,
señor gorrión,
hermana mía calandria,
sobrina del ruiseñor;
ave sin cola, [43]   10
martin-pescador,
parado y triste alcaraván;

¡a volar,
pajaritos,
al mar!   15

[40] Sin espacio entre los v. 8-9 en METCont. PC, METBN y PA.
[41] V. 15 En METCont, PC y METBN: perdido el cuerpo de arrugas.
[42] Publ. en *La Calandria* (Barcelona), feb. 1951.
[43] Con un espacio entre los v. 9-10 en PC y PA.

MI AMANTE [44]

Mi amante lleva grabado,
en el empeine del pie,
el nombre de su adorado.

—Descálzate, amante mía;
deja tus piernas al viento   5
y echa a nadar tus zapatos
por el agua dulce y fría.

MI AMANTE [45]

Amada de metal fino,
de los más finos cristales.

—¿Quién la despertará?

—El aire,
sólo el aire.   5

MI CORZA [46]

En Ávila, mis ojos...
Siglo xv [47]

Mi corza, buen amigo,
mi corza blanca.

[44] Sin título en METCont, PC, METBN y PA.
[45] Sin título en METCont, PC, METBN y PA.
[46] Escribe Alberti: "Tres jóvenes compositores —Gustavo Durán, Rodolfo y Ernesto Halffter—, entusiasmados con el corte rítmico, melódico de mis canciones, pusieron música a tres de ellas. De ese trío, la de Ernesto, maravillosa —*La corza blanca* [*sic*]— consiguió, a poco de publicada, una resonancia mundial. Las otras dos —*Cinema* [*sic*; el título es: *Verano*] y *Salinero*— eran bellas también y se han cantado mucho. Pero es que Ernesto Halffter, entonces verdadero muchacho prodigio, había logrado algo maestro, sencillo, melancólico, muy en consonancia con el estilo antiguo y nuevo de mi letra. Asimismo se hizo famosa *La niña que se va al mar*, del

Los lobos la mataron
al pie del agua.

Los lobos, buen amigo,   5
que huyeron por el río.

Los lobos la mataron
dentro del agua.

LA AURORA [48]

La aurora va resbalando
entre espárragos trigueros.
Se le ha clavado una espina [49]
en la yemita del dedo.

—¡Lávalo en el río, aurora,   5
y sécalo luego al viento!

TRENES

A Ernesto Halffter [50]

Tren del día, detenido
frente al cardo de la vía.

---

propio Ernesto, que no fue incluida en la edición por razones de espacio". Y también: "Iniciado no hacía mucho en Gil Vicente por
Dámaso Alonso y en el *Cancionero musical* de los siglos xv y xvi
de Barbieri, escribí entre los pinos de San Rafael mi primera canción de corte tradicional: *La corza blanca* [*sic*]" (AP, pp. 166
y 215-216).
[47] Primer verso de la célebre canción anónima del siglo xv "En
Ávila, mis ojos, / dentro en Ávila. / En Ávila del río / mataron
a mi amigo, / dentro en Ávila." (*Cancionero musical de los siglos XV
y XVI*, ed. por F. Asenjo Barbieri, Madrid, 1890, núm. 143). Sin
este epígrafe en METS, METCont 57, METCont 66 y METBN.
[48] Sin título en METS, METCont, PC, METBN y PA.
[49] Con un espacio entre los v. 2-3 en PC y PA.
[50] Publ. en *Rev. de Occidente*, jul.. 1925; sin la dedicatoria en
todas las ed. posteriores.

—Cantinera, niña mía,
se me queda el corazón
en tu vaso de agua fría.   5

Tren de noche, detenido
frente al sable azul del río.

—Pescador, barquero mío,
se me queda el corazón
en tu barco negro y frío.   10

San Rafael
   (Sierra de Guadarrama)
verano, 1924. [51]

JARDÍN DE AMORES
(MACETAS)

A Javier de Winthuysen
"oso jardinero" [52]

DEDICATORIA [53]

Vete al jardín de los mares
y plántate un madroñero
bajo los yelos polares.

Jardinero.

Para mi amiga, una isla   5
de cerezos estelares,
murada de cocoteros.

Jardinero.

[51] Indicación de lugar y fecha suprimida en todas las ed. posteriores.
[52] Pintor y maestro en jardinería artística, nacido en Sevilla en 1874. Publicó en 1930 un libro titulado *Jardines clásicos de España*. Juan Ramón Jiménez le dedicó un retrato lírico publicado en *Españoles de tres mundos*, segunda ed., Buenos Aires, Ed. Losada (1958), pp. 87-88, en que también le da el cariñoso apodo de "oso jardinero".
[53] Sin título en METS. En METCont, PC, METBN y PA: *Jardinero*.

Y en mi corazón guerrero
plántame cuatro palmeras,   10
a guisa de masteleros. [54]

Jardinero.

ELEGÍA

Infancia mía en el jardín:

Las cochinillas de humedad,
las mariquitas de San Antón,
también vagaba la lombriz
y patinaba el caracol. [55]   5

Infancia mía en el jardín:

¡Reina de la jardinería!
El garbanzo sacaba su nariz [56]
y el alpiste en la jaula se moría.

Infancia mía en el jardín: 10

La planta de los suspiros
el aire la deshacía.

DONDIEGO SIN DON [57]

Dondiego no tiene don.
Dón.

---

[54] En METCont, PC, METBN y PA: a modo de masteleros.
[55] En P1 y P2, los versos están agrupados como sigue 1-5, 6-8. 10-12.
[56] En todas las ed. posteriores: El garbanzo asomaba su nariz
[57] Los versos 1-11 de esta poesía forman las cuatro réplicas finales de la escena 1.ª y la primera de la escena 2.ª de *La pájara pinta*, "guirigay lírico-bufo-bailable" compuesto por Alberti en 1925. Están repartidos entre la Carbonerita, la Pájara y Antón y aluden al personaje de la misma pieza llamado Don Diego Contreras, "mal sastre y barrigón". El v. 10 dice: *Doña Escotofina* (nombre de la mujer de Don Diego). (Véase nuestra ed. de *La Pájara pinta*, París, 1964, pp. 47-49).

Don dondiego
de nieve y de fuego;
dón, dín, dón,   5
que no tenéis don. [58]

Ábrete de noche,
ciérrate de día,
cuida no te corte
la tía María, [59]   10
pues no tienes don.

Don dondiego,
que al sol estáis ciego; [60]
dón, dín, dón,
que no tenéis don.   15

AMOR DE MIRAMELINDO

¡Ay miramelindo, mira
qué estrellita tan galana,
suspira que te suspira,
peinándose a la ventana!

—Miramelindo, mi amor,   5
mírame qué linda estoy;
mira qué roja color
me puse por verte hoy.

Tú tan lindo en tu maceta,
regada por la mañana.   10
Yo tan linda y pizpireta,

dondiego de mi ventana: [60 bis]
casadita a la retreta
y viudita a la dïana.

[58] V. 6 y 15 En METS, METCont, PC, METBN y PA: que no
tienes don.
[59] V. 10 En METS, METCont, PC, METBN y PA: quien te
cortaría
[60] V. 13 En METS, METCont, PC, METBN y PA: que al sol
estás ciego
[60 bis] Sin espacio entre los v. 11-12 en PA.

Jardinera cantadora,
blanca y roja arrebolera,
tus verjeles me enamoran.

Tus verjeles de luceros,
tu jardín de voladeras, [61]   5
con brocal de jazmineros,
cantadora jardinera.

JARDÍN DE AMORES [62]

Vengo de los comedores
que dan al Jardín de Amores.

¡Oh reina de los ciruelos,
bengala de los manteles,
dormida entre los anhelos   5
de las aves moscateles!

¡Princesa de los perales,
infanta de los fruteros,
dama en los juegos florales
de los melocotoneros! [63]   10

¿A quién nombraré duquesa
de la naranja caída?
¿Quién querrá ser la marquesa
de la mora mal herida?

Vengo de los comedores   15
que dan al Jardín de Amores.

[61] V. 5 En METS, METCont, PC, METBN y PA: tu jardín de
volanderas,
[62] Publ. en Rev. de Occidente, jul. 1925. Sin título en METCont,
PC y METBN.
[63] V. 7-10 Sin puntos de admiración en P1, P2, P3 y P4.

LOS HÉROES

EL HÚSAR [64]

Soldadito quiero ser,
de los que van a la guerra.

Cómprame una casaca
con tres estrellas.
Una casaca encarnada   5
y un casco negro
con un plumero.

—¡Qué guapo va a andar el niño,
rechinando las espuelas!
Coronel, ¿qué cuerpo mandas?   10

—¡Húsares de la Princesa!

EL AVIADOR

La niña [65]

—Madre, ha muerto el caballero
del aire, que fue mi amor.

Y en el mar dicen que ha muerto
de teniente aviador.

¡En el mar!   5

¡Qué joven, madre, sin ser
todavía capitán!

[64] Suprimido por el poeta en todas las ed. posteriores.
[65] Sin este subtítulo en METCont, PC, METBN y PA.

EL HERIDO

A Ita [66]

—Dame tu pañuelo, hermana,
que vengo muy mal herido.

—Dime qué pañuelo quieres,
si el rosa o color de olivo.

—Quiero un pañuelo bordado,   5
que tenga en sus cuatro picos
tu corazón dibujado.

NANAS

A Milagro Díaz de Cevallos,
mi prima [67]

EL NIÑO MUERTO [68]

Barquero yo de este barco,
sí, barquero yo.

Aunque no tenga dinero,
sí, barquero yo.

Rema, niño, mi remero;   5
no te canses, no.

Mira ya el puerto lunero,
mira, miraló.

---

[66] Sin dedicatoria en METCont, PC, METBN y PA.
[67] Sin dedicatoria en todas las ed. posteriores.
[68] Publ. con las tres nanas siguientes en *Rev. de Occidente*, jul.
1925. Título en todas las ed. posteriores: *Nana del niño muerto.*

EL NIÑO MALO [69]

¡A la mar, si no duermes,
que viene el viento!

Ya en las grutas marinas
ladran sus perros.

¡Si no duermes, al monte: 5
vienen el buho
y el gavilán del bosque!

Cuando te duermas,
¡al almendro, mi niño,
y a la estrella de menta!   10

LA CIGÜEÑA [70]

Que no me digan a mí
que el canto de la cigüeña
no es bueno para dormir.

Si la cigüeñita canta
arriba en el campanario,   5
que no me digan a mí
que no es del cielo su canto.

LA TORTUGA [71]

Verde, lenta, la tortuga.

¡Ya se comió el perejil,
la hojita de la lechuga! [72]

[69] Título en todas las ed. posteriores: *Nana del niño malo.*
[70] Título en todas las ed. posteriores: *Nana de la cigüeña.*
[71] Título en todas las ed. posteriores: *Nana de la tortuga.* Publ. en *Litoral*, ag.-sept. 1968.
[72] V. 1-2: El perejil y la lechuga figuran en varios cantares populares andaluces; por ejemplo en *Las tres hojas* (recogido por F. G. Lorca, en sus *Obras completas*, Madrid, 1960, p. 563).

¡Al agua, que el baño está
rebosando!   5

¡Al agua, [72 bis]
pato!

Y sí que nos gusta a mí
y al niño ver la tortuga
tontita y sola nadando.   10

LA CABRA [73]

La cabra te va a traer
un cabritillo de nieve
para que juegues con él.

Si te chupas el dedito, [74]
no te traerá la cabra   5
su cabritillo.

CAPIRUCHO [75]

Si te llaman Capirucho,
tú a nadie le digas nada;
que el capiruchito puede [76]
estar lleno de avellanas,

de ajonjolí, de grajeas [77]   5
y de lo que el niño sabe...
Si te llaman Capirucho,
no se lo digas a nadie.

[72 bis] Sin espacio entre los v. 5-6 en PA.
[73] Título en todas las ed. posteriores: *Nana de la cabra.*
[74] Sin espacio entre los v. 3-4 en PC y PA.
[75] Título en todas las ed. posteriores: *Nana de Capirucho.*
[76] V. 3 En METCont, PC, METBN y PA: porque el capirucho
puede
[77] Sin espacio entre los v. 4-5 en PC y PA.

LA REINA Y EL PRÍNCIPE [78]

La Reina va en su carroza.
¡Mira los palafreneros!

La Reina va en su carroza.
¡Qué dichosa va la Reina!

Si fueras hijo de Rey,   5
¡mi rey, lo que tú serías!
Va el Príncipe en su carroza.
¡Qué dichoso que va el Príncipe!

NEGRA-FLOR [79]

Ya la flor de la noche
duerme la nana,
con la frente caída
y las alas plegadas.

Negra-flor, no despiertes,   5
hasta que la mañana
te haga flor del corpiño
de la alborada. [80]

Negra-flor, no despiertes,
hasta que el aire   10
en su corpiño rosa
te haga de encaje.

78 Suprimido en todas las ed. posteriores.
79 Título en todas las ed. posteriores: *Nana de Negra-flor*.
80 V. 6 y v. 8 En METCont, PC, METBN y PA: hasta que la alborada / [...] / de la mañana.

TRES POEMAS SUELTOS

A Manuel Gil Cala [81]

DIALOGUILLO DE OTOÑO

¡Oh qué tarde
para irse en avión,
en volandas,
por el aire!

Anda,   5
amor.

—¿Pero qué sabes tú
de aviación? [82]

—Nada,
amor.

El viento fue
quien movió los faralaes
de tu traje,
silbándome la canción:

¡Oh qué tarde   15
para irse en avión,
en volandas,
por el aire!

DE 2 A 3

Las 2, en la vaquería.

La luna borda un mantel, [82 bis]
cantando, en mi galería:

[81] Según dijimos en la introducción, Manuel Gil Cala era, con
Celestino Espinosa, uno de los más íntimos amigos de Alberti en
sus primeros años madrileños (1917-1919). Se perdieron de vista
algunos años más tarde (AP, pp. 113-115, 127-128 y 165). Sin el
subtítulo *Tres poemas sueltos* ni la dedicatoria en las ed. posteriores.
[82] V. 8 En METCont, PC y METBN: de volar, corazón?
[82 bis] Sin espacio entre los v. 1-2 en PA.

—Una niña chica,
sin cuna, jugando.   5
La Virgen María
la está custodiando;

tres gatitos grises
y un mirlo enlutado;
la araña hilandera   10
y el pez colorado;

un blanco elefante
y un pardo camello;
y toda la flora del aire,
y toda la fauna del cielo.   15

Tín,
tín,
tán:

las 3, en la lechería. [83]

Tón,
tón,   20
tán:

las 3, en la prioral.

MADRIGAL DRAMÁTICO DE
ARDIENTE-Y-FRÍA [84]

Ardiente-y-fría —clavel
herido del mediodía—,
desnuda, en la sastrería.

[83] En todas las ed. posteriores: tán: las tres, en la vaquería.
[84] En la página 219 y última de la 1.ª ed. de *Marinero en tierra*,
figuran, entre las "Obras en preparación" del mismo autor dos obras
de teatro: *Ardiente-y-fría (madrigal dramático)* y *La novia del
marinero*. La primera, no llegó a escribirla Alberti, que tuvo un

El niño, aprendiz de sastre,
¡cómo la deshojaría!   5

Ardiente-y-fría un corpiño
de ondas calientes y frías
quisiera para sus senos
—algas flotantes del mar
blanco y quieto del espejo.   10

El niño, aprendiz de sastre,
le ofrece una begonía.

Ardiente-y-fría una falda
de lunas en agonía
quisiera para su cuerpo   15
—delfín moreno del mar
verde y quieto del espejo—.

El niño, aprendiz de sastre,
le ofrece una peonía.

Ardiente-y-fría una cofia   20
de luz hirviente y sombría
quisiera para su sueño.

El niño, aprendiz de sastre,
le da una manzana, muerto.

---

tiempo la intención de escenificar el poema del mismo título. La
segunda, nos dijo el poeta (en carta del 23 nov. 1952) "era un
pequeño auto a la manera de los de Gil Vicente, que fue terminado, pero que perdí también antes de la guerra". Podemos pensar
que trataría en ella el tema de la novia ausente, que encontramos
en varias poesías de *Marinero en tierra*, tales como *Balcón del Guadarrama, Ayer y hoy, Sola, Llamada,* etc.

ATLAS

A Dámaso Alonso [85]

GEOGRAFÍA FÍSICA

Nadie sabe Geografía,
mejor que la hermana mía.

—La anguila azul del canal
enlaza las dos bahías.

—Dime, ¿dónde está el volcán   5
de la frente pensativa?

—Al pie de la mar morena,
solo, en un banco de arena.

(Partiendo el agua, un bajel
sale del fondeadero.   10
Camino del astillero,
va cantando el timonel.)

—Timonel: hay un escollo
a la entradita del puerto. [86]

—Tus ojos —faros del aire—,   15
niña, me lo han descubierto.
¡Adiós, mi dulce vigía!

¡Nadie sabe Geografía,
mejor que la hermana mía! [87]

---

[85] Alberti cuenta su primer encuentro con Dámaso Alonso (fines de 1921) en AP, pp. 155-156. Poesía publ. en *Rev. portuense*, 29 mayo 1931. Sin subtítulo ni dedicatoria en las ed. posteriores.
[86] V. 14 En todas las ed. posteriores: a la salida del puerto.
[87] Sin puntos de admiración en todas las ed. posteriores.

VIAJEROS

Dormida y rubia, en la roca;
dormida y rubia, llegada,
ayer tarde, de Polonia.
El Arcángel de su guarda
—San Rafael— la acompaña.   5

No sueñes tú, prima mía,
no sueñes, que estás cansada.

Las aldeas de Suiza
y los pueblos de Germania [88]
pasando van por su frente,   10
bajo una blanca nevada. [89]

No sueñes tú, prima mía,
no sueñes, que estás cansada.

San Rafael se ha dormido,
despierto y rubio, en la roca,   15
despierto y rubio, llegado,
ayer tarde, de Polonia.

DE LA HABANA HA VENIDO UN BARCO...

A José M. Chacón [90]

De mi ventana huye el barco
venido ayer de la Habana.

[88] V. 9 En METS, METCont, PC y METBN: y los pueblos de
Alemania
[89] V. 11 En METS, METCont, PC y METBN: bajo una luna
nevada.
[90] Poesía publ. en *La Verdad* (Murcia), 18 ene. 1925. El diplo-
mático, escritor y crítico cubano José María Chacón y Calvo (nacido
en 1893) fue, dice Alberti "el amigo más entusiasta de mis canciones marineras y de mis primeros tercetos. Siempre que yo quería
romper mi reposo, me invitaba a cenar a su casa de la calle Par-
diñas. Y allí me hacía repetir mis versos, a él solo o a sus convi-
dados, que a veces eran muchos" (AP, p. 177). En 1918, José

¡Saltemos del lecho al barco,
lucero de la mañana!

Al pasar por tu azotea   5
me echarás una naranja
y un zapatito de oro,
lleno de almendras y agua. [91]

¡A las Antillas me voy
por unas mares de menta   10
amargas! [92]

ELEGÍA [93]

La niña rosa, sentada. [94]
Sobre su falda,
como una flor,
abierto, un atlas.

  ¡Cómo la miraba yo   5
viajar, desde mi balcón!

  Su dedo —blanco velero—
desde las islas Canarias
iba a morir al mar Negro.

  ¡Cómo lo miraba yo   10
morir, desde mi balcón!

María Chacón fue nombrado secretario de la embajada de Cuba en
Madrid: en 1935, era presidente de la comisión cubana del homenaje a Lope de Vega; invitó a Alberti a pronunciar, en el Auto-
móvil Club de La Habana, su conferencia sobre *Lope de Vega y la
poesía contemporánea* (*Rev. Cubana*, II, núms. 4-5-6, abril-mayo-junio
1935, pp. 68-93; véase nuestra ed. de este texto, seguido de *La
Pájara pinta*, París, 1964). Sin dedicatoria en las ed. posteriores.
    [91] V. 5-9 Solita Salinas señala acertadamente que Alberti recoge
aquí "el mismo motivo y movimiento" que aparecen en la canción
tradicional del siglo xv: "Arrójame las naranjicas / con las ramas
del blanco azahar, / arrojómelas y arrojéselas / y volviómelas a
arrojar" (SSM, p. 61).
    [92] V. 11 En *La Verdad*: amarga!
    [93] Publ. en *Rev. de Occidente*, jul. 1925. Véase *supra*, la nota 37.
    [94] V. 1 En METBN: La niña, rosa sentada.

La niña —rosa sentada—. [95]
Sobre su falda,
como una flor,
cerrado, un atlas.   15

Por el mar de la tarde
van las nubes llorando
un archipiélago de sangre. [96]

A Rabindranath Tagore [97]

¡Dejadme pintar de azul
el mar de todos los atlas!

Mientras, salúdame tú, [97 bis]
cantando el alba del agua, [98]   5
pájaro en una palmera
que mire al mar de Bengala.

¡A los islotes del cielo!

Prepara la barca, niña;
yo seré tu batelero.

¿Marzo?
¿Abril?   5
¿El mes de Mayo?

¡Más verde es la mar de Enero!

Prepara la barca, niña; [99]
ya canta tu batelero.

---

95 V. 11 En METBN: La niña, rosa, sentada, En PA: La niña
rosa, sentada
96 V. 16 En todas las ed. posteriores: rojas islas de sangre.
97 En METCont, PC, METBN y PA: A Tagore.
97 bis Sin espacio entre los v. 2-3 en PA.
98 V. 4 En METCont, PC, METBN y PA: cantando al alba del
agua,
99 V. 8 En METCont, PC, METBN y PA: Prepara tu barca, niña;

¡Sal desnuda y negra, sal,
que paso por el canal!

A la salida del golfo,
boga, negrita, la isla,
blanca y azul, de la sal.   5

¡Sal, negrita boreal,
sal desnuda y negra, sal,
que salgo yo del canal!

CRUZ DE VIENTO

Nevada, clara de nieve,
flor de los témpanos, tú,
sobre una corza marina.

Norte. Sur.

Dorada, clara de oro,   5
flora de los fuegos, tú,
sobre un cocodrilo verde.

Este. Oeste.

MAPA MUDO [100]

¿Cómo te llamas,
puntito negro
caído en el mapa?

(Renos por el agua helada,
por las banderas nevadas   5
—llanuras de la paz, blancas—.)

Puntito negro,
¿Cómo te llamas?

[100] Suprimido en todas las ed. posteriores.

Niña que vas por los yelos
sobre una foca montada,   10
contra tu pecho un pandero
de escarcha sobredorada;
tu país —puntito negro—
¿cómo se llama?
...

¡En ancas de tu trineo,   15
niña, que vienen las morsas
perseguidas por los renos!

SEGUNDA PARTE

MARINERO EN TIERRA

CARTA DE JUAN RAMÓN JIMÉNEZ [101]

Madrid: 31 - Mayo - 1925.
Sr. D. Rafael Alberti,
Madrid.

Mi querido amigo:

Cuando José M.ª Hinojosa, [102] *el vívido, gráfico poeta
agreste, y usted se fueron, ayer tarde, —después del
precioso rato que pasamos en la azotea hablando de
Andalucía y poesía—, me quedé leyendo —entre las
madreselvas en tierna flor blanca y a la bellísima luz
caída que ya ustedes dejaron hirviendo en oro en el*

---

[101] No consta esta carta en METS ni en METBN.

[102] José María Hinojosa "hijo de ricos hacendados malagueños,
caído bajo las balas de sus propios campesinos en las confusas
horas de nuestra guerra civil" acompañó a Alberti en su segunda
visita a Juan Ramón Jiménez, el 30 de mayo de 1925 (AP, p. 208).
El poeta evocó más tarde esta visita en los versos de *Retornos de
un día de cumpleaños*, del libro *Retornos de lo vivo lejano* (PC,
pp. 822-833). Hinojosa está considerado como uno de los más ver-
daderos poetas surrealistas de la generación de 1925, a pesar de
que su obra está hoy injustamente olvidada: *Poema del campo*
(1925), *Poesía de perfil* (1926), *La rosa de los vientos* (1927), *Orillas de la luz* (1928) y *La Flor de California* [sic] (1928). También
le dedicó Alberti "Branquias quisiera tener".

*rincón de yedra; trocadas las lisas nubes, con la hora
tardía, en carmines marrones y verdes— su* Marinero
en tierra. *Las poesías de este libro que yo había visto
ya, el año pasado, en* La Verdad *de nuestro fervoroso
Juan Guerrero*[103] *y en las copias que usted tuvo la
bondad de enviarme para el primer* Sí *—me sorpren-
dieron de alegría; y, sospechando que un brote así de
una juventud poética no podía ser único, tenía grandes deseos de conocer el resto de sus canciones. No
me había equivocado.*

Desde el arranque:

> ... Y ya estarán los esteros
> rezumando azul de mar,

hasta el final:

> Si mi voz muriera en tierra,
> llevadla al nivel del mar
> y dejadla en la ribera,

*la serie ésta del Puerto —que yo he elejido— es una
orilla, igual que la de la bahía de Cádiz, de ininterrum-
pida oleada de hermosura, con una milagrosa variedad
de olores, espumas, esencias y músicas. Ha trepado
usted, para siempre, al trinquete del laúd de la belleza,
mi querido y sonriente Alberti. La retama siempre verde de virtud es suya. Con ella, en grácil golpe, ha
hecho usted saltar otra vez de la nada plena el chorro
feliz y verdadero. Poesía "popular", pero sin acarreo
fácil: personalísima; de tradición española, pero sin re-*

[103] Juan Guerrero Ruiz (1893-1955) fue admirador e íntimo amigo de Juan Ramón Jiménez. En 1921, era secretario de la revista
de éste, *Índice*. Luego fundó en Murcia el suplemento literario de
La Verdad (1925) y la revista *Verso y Prosa* (1927), y más tarde la
Revista hispánica moderna con Federico de Onís. En 1943, por ini-
ciativa de José Luis Cano, creó la *Colección Adonáis* de poesía.
Federico García Lorca dio a Juan Guerrero el título —merecido—
de *Cónsul de la Poesía Española*, en la dedicatoria de su *Romance de
la guardia civil*. (Véase la entrevista que le tomó, poco antes de su
muerte, Enrique Canito, en *Ínsula*, núm. 112, 15 abr. 1955, y
su libro *Juan Ramón de viva voz*, Madrid, 1961).

torno innecesario: nueva; fresca y acabada a la vez;
rendida, ájil, graciosa, parpadeante: andalucísima. ¡Ben-
dita sea la Sierra de Rute, en donde la nostaljia de
nuestro solo mar del sudoeste le ha hecho exhalar a
usted, hiriéndole a diario con la espada de sal de su
brisa, esa esquisita sangre evaporada!

Le voy a decir a El Andaluz Universal *que adelante*
un Sí, para que pueda lucir todavía en el aire lijero
de esta goteante primavera, la tremolante cinta celeste
y plata de su Marinerito. *Y mandaremos enseguida*
ejemplares a los carabineros del Castillo de Santa Ca-
talina, que tendrá ahora su pozo de agua azul ahogado
en lirios amarillos: y el viento de la ancha tarde de
Junio batirá ruidosamente las hojas mates impresas por
el buen Maíz; al guarda del Castillo de Rota, la blanca
torre hundida como otro pozo de cal en el altísimo mar
azul Prusia que desde allí se ve, con aquellos cuadros
de aquellos colorines en las paredes de la escalera: y
él se lo enseñará a los visitantes y a las cigüeñas; al
hermano enfermero del Colejio del Puerto, para que se
lo lea al colejial malito mientras le corta unas sopas
de pan y yerbabuena, viendo los dos Cádiz por todas
las ventanas abiertas de la enfermería colgada de ca-
narios cantando; al viejo de la abandonada Plaza de
toros vecina del Colejio, en cuyo ruedo sembrado
de trigo daba, los domingos de invierno, el sol solita-
rio de aquel modo: y él intentará comprenderlo, ayu-
dado por su niña, en la paz obscura de los chiqueros,
inquieto de vez en cuando por las sombras de los
toros; al maquinista del "trenito" del Puerto a Sanlú-
car, que lo paseará en el bolsillo, entre las fincas con
naranjas, con uvas, con piñas y la bahía destelladora,
llena de "parejas" cabeceantes cargadas de mero, boni-
tos y acedías.

Enhorabuena y gracias de su amigo y triple paisano:
por tierra, mar y cielo del oeste andaluz,

JUAN RAMÓN

Lista, 8.

1

PRÓLOGO [105]

Entraña de estos cantares:
¡Sangre de mi corazón,
tarumba por ver los mares!

El mar. La mar.
El mar. ¡Sólo la mar!

¿Por qué me trajiste, padre,
a la ciudad?

¿Por qué me desenterraste [106]   5
del mar?

En sueños, la marejada
me tira del corazón;
se lo quisiera llevar.

Padre, ¿por qué me trajiste   10
acá?

Gimiendo por ver el mar, [107]
un marinerito en tierra
iza al aire este lamento:

¡Ay mi blusa marinera;
siempre me la inflaba el viento   5
al divisar la escollera!

---

[104] Juan Chabás Martí (1898-1955) es autor de versos, novelas
y ensayos, así como de una excelente *Literatura española contemporánea* (La Habana, 1952). En tiempos del ultraísmo, colaboró en
las revistas *Cervantes, Ultra, Alfar*. Sin dedicatoria en las ed. posteriores.

[105] Sin título estos tres versos, y como epígrafe en METS, MET-Cont, PC, METBN y PA.

[106] V. 5 En METBN (¿por errata?): ¿Por qué me trajiste, padre,

[107] Publ. en *Sí*, jul. 1925.

SALINERO [108]

... Y ya estarán los esteros
rezumando azul de mar.
¡Dejadme ser, salineros,
granito del salinar!

¡Qué bien, a la madrugada,   5
correr en las vagonetas
llenas de nieve salada,
hacia las blancas casetas!

¡Dejo de ser marinero,
madre, por ser salinero! [109]   10

LLAMADA

(Verano) [110]

Zumbó el lamento del mar,
cuando me habló por teléfono.

Yo en la llanura. ¡Qué lejos
la novia del litoral!

Saltó del norte a levante;   5
dejó un mar por otro mar.

¡El mar de las Baleares!

A José M. Hinojosa. [111]

Branquias quisiera tener,
porque me quiero casar.

[108] V. *supra*, la nota 46. Publ. en *La Verdad*, 18 ene. 1925 y
en *Sí*, jul. 1925. Sin título en P1, P2, P3 y P4.
[109] Sin puntos de admiración en METS, METCont, PC, METBN
y PA.
[110] Subtítulo suprimido en METS, METCont, PC, METBN y PA.
[111] Publ. en *Sí*, jul. 1925; en *Litoral*, ag.-sept. 1968, sin dedicatoria (tampoco en las ed. posteriores). Véase *supra*, la nota 102.

Mi novia vive en el mar
y nunca la puedo ver.

Madruguera, plantadora,   5
allá en los valles salinos.
¡Novia mía, labradora
de los huertos submarinos!

¡Yo nunca te podré ver
jardinera en tus jardines   10
albos del amanecer!

NANA

Mar, aunque soy hijo tuyo,
quiero decirte: ¡Hija mía!
y llamarte, al arrullarte:
Marecita,
        —madrecita—,
        ¡marecita de mi sangre!   5

CON ÉL [112]

(1924)

Zarparé, al alba, del puerto, [113]
hacía Palos de Moguer,
sobre una barca sin remos.

De noche, solo, ¡a la mar,
y con el viento y contigo!   5
Con tu barba negra tú,
yo barbilampiño.

[112] Publ. en *Sí*, jul. 1925. "Él" es Juan Ramón, según claramente se deduce de los dos primeros versos. Esta canción sirve de
prólogo-homenaje a la edición de los *Sonetos espirituales* de Juan
Ramón, Buenos Aires, Schapire, 1942 (Col. "Rama de Oro"). Véase
otra poesía del mismo título, dedicada a Garcilaso, pp. 134-135.
[113] V. 1 En todas las ed. posteriores: Zarparé, al alba, del
Puerto.

PREGÓN SUBMARINO [114]

¡Tan bien como yo estaría
en una huerta del mar,
contigo, hortelana mía!

En un carrito, tirado
por un salmón, ¡qué alegría   5
vender bajo el mar salado,
amor, tu mercadería!

—¡Algas frescas de la mar,
algas, algas!

CHINITA [115]

¡Contigo, Rafael Arcángel,
patrón de los caminantes!
Chinita blanca del río,
se me ha perdido mi amante.

Rodando, rodando, al mar.   5
¡Contigo, Rafael Arcángel!
¡Que la mar nunca te trague,
chinita de mi cantar!

Yo no paro de llorar;
se me ha perdido mi amante.   10
¡Chinita, Rafael Arcángel!

Siempre que sueño las playas,
las sueño solas, mi vida.
...Acaso algún marinero...
quizás alguna velita [116]
de algún remoto velero...   5

114 Publ. en *Rev. de Occidente*, jul. 1925.
115 Publ. en *Sí*, jul. 1925.
116 V. 4 En METCont, PC, METBN y PA: quizás alguna velilla

122   RAFAEL ALBERTI

A José Bello [117]

¡Qué altos
los balcones de mi casa!
Pero no se ve la mar;
¡qué bajos!

Sube, sube, balcón mío,   5
trepa el aire, sin parar:
sé terraza de la mar,
sé torreón de navío.

—¿De quién será la bandera
de esa torre de vigía?   10

—¡Marineros, es la mía!

EL MAR MUERTO

1

Mañanita fría.
¡Se habrá muerto el mar!

La nave que yo tenía
ya no podrá navegar.

—Mañanita fría,   5
¿lo amortajarán?

—Los pueblos de tu ribera
—naranjas del mediodía—,
entre laureles y olivas.

—Mañanita fría,   10
¿quién lo enterrará?

---

[117] Publ. en *Sí*, jul. 1925, sin la dedicatoria. José (o, familiarmen-
te, Pepín) Bello era "un muchacho delgado, de bigotillo rubio, absurdo y divertidor [...] con él que simpaticé vertiginosamente". Alberti
lo conoció en la Residencia de Estudiantes (otoño de 1924). Sobre
el grupo de artistas de que formaba parte con Luis Buñuel, Salvador Dalí, García Lorca y José Moreno Villa, véase AP, pp. 171-
177 y 218-219. Sin dedicatoria en las ed. posteriores.

—Marinero, tres estrellas
muy dulces: las Tres Marías.

2

No sabe que ha muerto el mar
la esquila de los tranvías
—tirintín— de la ciudad.

No lo sabe nadie, nadie.
¡Mejor, si nadie lo sabe!   5

Ni tú, verde cochecillo,
que hacia la verdulería
llevas tu tintinear.

No lo sabe nadie, nadie.
¡Mejor si nadie lo sabe!   10

Ni tú, joven vaquerillo,
que llevas tus dos vaquitas
tan de mañana a ordeñar.

No lo sabe nadie, nadie.
¡Mejor, si nadie lo sabe!   15

¿Cuándo llegará el verano? [118]
Cuánto veré desde tierra,
amor, tu tienda de baños?

Inflado tu bañador,
vestida, hundirás el agua, [119]   5
y saldrás desnuda, amor;

[118] Tratamiento moderno del tema del baño de mar, que se encuentra en el *Cancioneiro da Vaticana*: "Quantas sabedes amar
amigo / treides comig'a lo mar de Vigo / e banhar-nus emos nas
ondas" (Martín Codax, núm. 888) y "Se oj'o meu amigo / soubess,
iria migo: / eu el rio me vou banhar" (Gonçalvez Porto Carreiro,
núm. 321) (E. Proll, "Popularismo...", p. 65).
[119] V. 4-5 En METCont, PC, METBN y PA: Vestida, en tu bañador / azul, hundirás el agua

que el mar sabe lo que hace
para que te quiera yo.

¡Oh tu cuerpo, henchido al viento,
desafiando la mar,   10
desafiando la playa,
la playa, la mar y el cielo!

CASADITA [120]

Ya se la lleva de España,
que era lo que más quería,
su marido, un marinero
genovés.

—¡Adiós, murallas natales,   5
coronas de Andalucía.

Ya lejos:

¡Ay, cómo tiemblan
los campanarios de Cádiz
los que tanto me querían!

PIRATA

A Gustavo Durán [121]

Pirata de mar y cielo,
si no fui ya, lo seré.

Si no robé la aurora de los mares,
si no la robé,
ya la robaré.   5

---

[120] Sin título en METS, METCont, PC, METBN y PA.
[121] Publ. en *Sí*, jul. 1925, sin dedicatoria (como en todas las
ed. posteriores). Véase *supra*, la nota 46. Sin título en P1, P2,
P3 y P4.

Pirata de cielo y mar,
sobre un cazatorpederos,
con seis fuertes marineros,
alternos, de tres en tres.

Si no robé la aurora de los cielos,   10
si no la robé,
ya la robaré.

SUEÑO [122]

Abajo, en lo más profundo
del mar, tres doncellas muertas,
¡mis ojos!, sin desposar.

—Marinos de la ribera,
¿no hay quien se quiera casar   5
con estas blancas doncellas,
suaves conchas de la mar?

ELEGÍA DEL NIÑO MARINERO

A Manuel Ruiz Castillo [123]

Marinerito delgado,
Luis Gonzaga de la mar,
¡qué fresco era tu pescado,
acabado de pescar!

Te fuiste, marinerito,   5
en una noche lunada,

122 Poesía suprimida en todas las ed. posteriores.
123 Hijo mayor de D. José (propietario de la editorial Biblioteca
Nueva, en la que se publicó *Marinero en tierra*), y amigo de los
años juveniles de Alberti. Su hermano Miguel relató brevemente
sus relaciones y las de su familia con el poeta, en las páginas de
Recuerdo y homenaje que sirven de prólogo a la reedición, en la
misma casa editorial, de *Marinero en tierra* (Madrid, 1968; véase
nuestra bibliografía). Sobre esta poesía y "¿Para quién, galera
mía", y "Del barco que yo tuviera", véase SSM, pp. 100-102.

¡tan alegre, tan bonito,
cantando, a la mar salada!

¡Qué humilde estaba la mar!
¡Él cómo la gobernaba!   10
Tan dulce era su cantar,
que el aire se enajenaba.

Cinco delfines remeros
su barca le cortejaban.
Dos ángeles marineros,   15
invisibles, la guiaban.

Tendió las redes, ¡qué pena!,
por sobre la mar helada.
Y pescó la luna llena,
sola, en su red plateada.   20

¡Qué negra quedó la mar!
¡La noche qué desolada!
Derribado su cantar,
la barca fue derribada.

Flotadora va en el viento   25
la sonrisa amortajada
de su rostro. ¡Qué lamento
el de la noche cerrada!

¡Ay mi niño marinero,
tan morenito y galán,   30
tan guapo y tan pinturero,
más puro y bueno que el pan!

¿Qué harás, pescador de oro,
allá en los valles salados
del mar? ¿Hallaste el tesoro   35
secreto de los pescados?

¡Deja, niño, el salinar
del fondo, y súbeme el cielo

de los peces, y, en tu anzuelo,
mi hortelanita del mar! [124]   40

DESDE ALTA MAR

No quiero barca, corazón barquero,
quiero ir andando por la mar al puerto.

¡Qué dulce el agua salada
con su salitre hecho cielo!
¡No quiero sandalias, no!   5
¡Quiero ir descalzo, barquero! [125]

No quiero barca, corazón barquero,
quiero ir andando por la mar al puerto.

ELEGÍA [126]

Yo te hablaba con banderas,
hija de la panadera,
la que siempre eras de pan
entre la grey marinera.

Me perdí en la tierra,   5
fuera de la mar.

Yo te hablaba, a los luceros,
con la luna del espejo
de una estrella volandera.

Fuera de la mar,   10
me perdí en la tierra.

124 V. 37-40 Sin puntos de admiración en todas las ed. posteriores.
125 V. 6 Sin puntos de admiración en todas las ed. posteriores.
126 Sin título en todas las ed. posteriores.

MEDIANOCHE [127]

Ya el silbido de ese tren
rayado habrá el Manzanares.

¡Pobrecito río,
donde solamente botan
sus barquitas los chiquillos!   5

(VERANO) [128]

—Del cinema al aire libre
vengo, madre, de mirar
una mar mentida y cierta,
que no es la mar y es la mar.

—Al cinema al aire libre,   5
hijo, nunca has de volver,
que la mar en el cinema
no es la mar y la mar es.

DIME QUE SÍ

Dime que sí,
compañera,
marinera,
dime que sí.

Dime que he de ver la mar,   5
que en la mar he de quererte;
compañera,
dime que sí.

Dime que he de ver el viento,
que en el viento he de quererte;   10
marinera,
dime que sí.

[127] Poesía suprimida en todas las ed. posteriores.
[128] Publ. en *Sí*, jul. 1925; véase *supra*, la nota 46.

Dime que sí,
compañera,
dime,   15
dime que sí.

Del barco que yo tuviera, [129]
serías tú la costurera.

Las jarcias, de seda fina;
de fina holanda, la vela.

—¿Y el hilo, marinerito?   5
—Un cabello de tus trenzas.

ELEGÍA DEL COMETA HALLEY [130]

Ya era yo lo que no era,
cuando apareció el cometa.

Del mar de Cádiz, Sofía, [131]
saltaba su cabellera.
¡Ay, quién se la peinaría!   5

[129] Véase *supra*, la nota 123. En PC, sin espacio entre los v. 4-5.
[130] Publ. en *Sí*, jul. 1925. El período de este cometa, al que dio
su nombre el astrónomo inglés Halley, es de 27997 días. Pudo obser-
varse en 1456, 1531, 1607, 1682, 1759, 1835 y 1910 (año en que lo
vio Alberti). Su aparición había sido equivocadamente anunciada
en 1832: Larra alude a ello en el núm. 4 de su *Duende satírico
del día* y Béranger en una de sus canciones.
[131] Esta Sofía es la misma a quien se dirige el poeta en *Balcones*
(tres poesías publicadas en *Alfar*, mayo 1924), y de la que escribe
en sus memorias: "Era Sofía una niña de doce o trece años, a
quien en los largos primeros meses de mi enfermedad contemplaba
abstraída ante un atlas geográfico tras los cristales encendidos de su
ventana. Desde la mía, sólo un piso más alta, veía cómo su dedo
viajaba lentamente por los mares azules, los cabos, las bahías, las
tierras firmes de los mapas, presos entre las finas redes de los meri-
dianos y paralelos. También Sofía bordaba flores e iniciales sobre
aéreas batistas o rudos cañamazos, labor de colegiala que cumplía
con la misma concentrada atención que sus viajes. Ella fue mi callado
consuelo durante muchos atardeceres. Casi nunca me miraba, y si
alguna vez se atrevía, lo hacía de raro modo, desde la inmovilidad
de su perfil sin apenas descomponerlo. Esta pura y primitiva imagen
de Sofía a la ventana, me acompañó por largo tiempo, llegando a
penetrar hasta en canciones de mi *Marinero en tierra*, época en que
ya ella había trocado el azul de los atlas y la aguja por un *flirt*
dominguero y matinal, a la salida de la iglesia" (AP, p. 161).

Con un escarpidor fino,
salí a la ribera mía.
¡Suéltale la cauda, madre,
que se la peine Sofía!

¡Ya era yo lo que no era! [132]   10

Nací para ser marino
y no para estar clavado
en el tronco de este árbol.

Dadme un cuchillo.

¡Por fin, me voy de viaje!   5

—¿Al mar, a la luna, al monte?

—¡Qué sé yo! ¡Nadie lo sabe! [133]

¡Dadme un cuchillo! [134]

2

TRIDUO DE ALBA, SOBRE EL ATLÁNTICO,
EN HONOR DE LA VIRGEN DEL CARMEN [135]

A mi madre

1

DÍA DE CORONACIÓN

Sobre el mar que le da su brazo al río
de mi país, te nombran capitana

[132] V. 10 Sin puntos de admiración en METS, METCont, PC,
METBN y PA.
[133] Sin espacio entre los v. 5-6 y 6-7 en METS, METCont, PC,
METBN y PA.
[134] V. 8 Sin puntos de admiración en las ed. posteriores. Escribe
Alberti, al parecer a propósito de este verso: "Lo primero que
conocí de Gorki fue *Malva*, un cuento maravilloso, cuyo grito final
—¿Quién se ha llevado mi cuchillo?— se me fue a clavar, por no
sé que extraños caminos, en alguna canción de mi *Marinero en
tierra*" (AP, p. 164). Véase *supra*, la nota 25.
[135] En todas las ed. posteriores: *Triduo del alba*. Publ. en *Ámbito*
(Gerona), ag. 1956. Así habla Alberti de estos tres sonetos: "Hice

de los mares, la voz de la mañana
y la sirena azul de mi navío.

Los faros verdes pasan su dïana   5
por el quieto arenal del playerío.
Del fondo del mar, el vocerío
sube, en tu honor, —tín, tán— de una campana.

¡Campanita de iglesia submarina,
quién te tañera y bajo ti ayudara   10
una misa a la Virgen del Carmelo,

ya generala y sol de la marina!...
—La cúpula del mar, como tïara;
y como nimbo la ilusión del cielo—.

2

DÍA DE AMOR Y DE BONANZA [136]

Que eres loba de mar y remadora,   15
Virgen del Carmen, y patrona mía,
escrito está en la frente de la aurora,
cuyo manto es el mar de mi bahía.

Que eres mi timonel, que eres la guía
de mi oculta sirena cantadora,   20
escrito está en la frente de la prora
de mi navío, al sol del mediodía.

un *Triduo de alba* [...] *a la Virgen del Carmen*, patrona sonriente
de la marinería, que dediqué a mi madre, la que se conmovió pro-
fundamente, deduciendo que con aquellas líricas oraciones mi ya
advertida indiferencia religiosa se avivaba" (AP, p. 171). A propósito
de estos sonetos, cuenta Dámaso Alonso lo siguiente, referido a él
por Alberti (a su vuelta del viaje de 1925 durante el cual escribió
las canciones de *La Amante*): "Se los había recitado [Rafael] al
Abad [de Santo Domingo de Silos], en el cual produjeron tal entusiasmo que (en vista de facultades especiales que, parece, tiene)
concedió ciento cincuenta días de indulgencia a todo el que los
leyera o recitara" ("Rafael entre su arboleda", *Insula*, mayo 1963,
núm. 198). Sobre la estancia de Alberti en Silos, véase nuestra
Introducción, y la nota 13 de *La Amante*.
136 En METS, METCont, PC, METBN y PA: *Día de amor y
bonanza*.

Que tú me salvarás, ¡oh marinera
Virgen del Carmen!,[137] cuando la escollera
parta la frente en dos de mi navío,   25

loba de espuma azul en los altares,
con agua amarga y dulce de los mares
escrito está en el fiero pecho mío.

3

DÍA DE TRIBULACIÓN

¡Oh Virgen remadora, ya clarea
la alba luz sobre el llanto de los mares!   30
Contra mis casi hundidos tajamares,
arremete el mastín de la marea.

Mi barca, sin timón, caracolea
sobre el tumulto gris de los azares.
Deje tu pie, descalzo, sus altares,   35
y la mar negra verde pronto sea.

Toquen mis manos el cuadrado anzuelo
—tu escapulario—, Virgen del Carmelo,
y hazme delfín, Señora, tú que puedes...

Sobre mis hombros te llevaré a nado   40
a las más hondas grutas del pescado,
donde nunca jamás llegan las redes.

---

[137] En Andalucía "la Virgen del Carmen baja todos los sábados
del Purgatorio, a sacar las almas más purificadas (Esta Virgen es
abogado de las almas benditas)" (A. Guichot y Sierra, *Supersticiones populares recogidas en Andalucía y comparadas con las por-
tuguesas*, en *Bibl. de las trad. pop. esp.*, t. I, Sevilla, 1882, pp. 249-
250).

3

A Celestino Espinosa [138]

ILUSIÓN [139]

... —la blusa azul, y la cinta
milagrera sobre el pecho!—

J. R. J.

—Madre, vísteme a la usanza
de las tierras marineras:

el pantalón de campana,
la blusa azul ultramar,
y la cinta milagrera.   5

—¿Adónde vas, marinero,
por las calles de la tierra?

—¡Voy por las calles del mar! [140]

LA NIÑA QUE SE VA AL MAR [141]

¡Qué blanca lleva la falda
la niña que se va al mar!

¡Ay niña, no te la manche
la tinta del calamar!

¡Qué blancas tus manos, niña   5
que te vas sin suspirar!

¡Ay niña, no te las manche
la tinta del calamar!

---

138 Véase *supra*, la nota 4. Sin dedicatoria en las ed. posteriores.
139 Publ. en *Sí*, jul. 1925. Sin título en todas las ed. posteriores,
ni espacio entre los v. 2-3.
140 Sin espacio entre los v. 7-8 en METS METCont, PC y METBN.
141 Véase *supra*, la nota 46.

¡Qué blanco tu corazón
y qué blanco tu mirar!   10

¡Ay niña, no te los manche
la tinta del calamar!

Recuérdame en alta mar,
amiga, cuando te vayas
y no vuelvas.

Cuando la tormenta, amiga,
clave un rejón en la vela.   5

Cuando, alerta, el capitán,
ni se mueva. [142]

Cuando la telegrafía
sin hilos ya no se entienda.

Cuando ya al palo-trinquete   10
se lo trague la marea.

Cuando en el fondo del mar
seas sirena.

CON ÉL [143]

Si Garcilaso volviera,
yo sería su escudero;
que buen caballero era.

Mi traje de marinero
se trocaría en guerrera,   5

---

[142] V. 7 En P4: no se mueve.
[143] Véase una canción del mismo título dedicada a Juan Ramón
Jiménez, p. 120. Esta canción, y la *Elegía a Garcilaso* (1929) de
Sermones y moradas (PC, pp. 313-314), están incluidas como prólogo-homenaje en la edición de las *Poesías* de Garcilaso publicada
más tarde por Alberti en Buenos Aires (Ed. Pleamar, 1946, Col.
"Mirto"). Sin título en las ed. posteriores.

ante el brillar de su acero;
que buen caballero era.

¡Qué dulce oirle, guerrero
al borde de su estribera!
En la mano, mi sombrero;   10
que buen caballero era.

La mar del Puerto viene
negra y se va.
¿Sabes adónde va?
¡No lo sé yo!

De verde, verde, verde, [144]   5
vuelve y se va.
¿Sabes adónde va?
¡Sí lo sé yo!

LA VIRGEN DE LOS MILAGROS [144 bis]

(Procesión)

La Virgen de los Milagros
es la patrona del Puerto.
Para el ocho de setiembre,
se asoma al balcón del río.

Las aguas del Guadalete,   5
soñando, van de verbena.
San Alejandro, alto puente,
biznaga de farolillos. [145]

La Virgen de los Milagros
era una Virgen guerrera.   10

[144] V. 5 En METCont, PC, METBN y PA: De blanco, azul y
verde,
[144 bis] Según la leyenda, Nuestra Señora de los Milagros, cuya
imagen se venera en la capilla mayor de la iglesia prioral del
Puerto, apareció en un muro del castillo de San Marcos de la ciudad en 1264, en tiempos de la Reconquista.
[145] V. 6-7: El puente sobre el Guadalete se llama, en el Puerto,
Puente de San Alejandro.

Bajó del cielo a la frente
coronada de un castillo.

—La playa azul del Atlántico
es un clavel negro y frío.
El faro verde de Cádiz   15
le raya de añil la arena—.

La Virgen de los Milagros
no baja nunca a las playas.

San Fernando manda al Puerto [146]
una lancha cañonera.   20

¿Para quién, galera mía, [147]
para quién este cantar?

¡Búcaro fino del mar,
poroso de azul salado,
quién te pudiera quebrar!   5

LOS NIÑOS [148]

Solita, en las balaustradas, [149]
mi niña virgen del mar
borda las velas nevadas.

¡Ay que vengo, que yo vengo
herido, en una fragata,   5
solito, mi vida, huyendo
de tu corazón pirata!

¡De prisa, mi marinera!
Que un jirón de tu bordado
haga que yo no me muera.   10

---

146 Sin espacio entre los v. 18-19 en METCont, PC, METBN y PA.
147 Publ. en *Sí*, jul. 1925. Véase *supra*, la nota 123.
148 Sin título en METCont, PC, METBN y PA.
149 V. y v. 6 En METS, METCont, PC, METBN y PA: Sin
nadie, en las balaustradas.

Soñabas tú, que no yo, [150]
que cinco marinerillos
en alta mar naufragaban,
y que cinco sirenillas
consigo se los llevaban.   5

EL PILOTO PERDIDO

¡Torrero, que voy perdido
y está apagado tu faro!
Noroeste. Nada claro
por el cielo, ¡y te has dormido!

¡Que se ha dormido el torrero   5
y nadie del astillero
talar su sueño ha querido!
¡Corre, ve, viento marero,
y dile a algún marinero
que el faro no está encendido!   10

SUEÑO [151]

¡A los remos, remadores! [152]
Gil Vicente

Noche.
Verde caracol, la luna.
Sobre todas las terrazas,
blancas doncellas desnudas.

¡Remadores, a remar!   5
de la tierra emerge el globo
que ha de morir en el mar.

150 Suprimido en todas las ed. posteriores.
151 Publ. en *Sí*, jul. 1925.
152 Verso que sirve de estribillo a la canción de Gil Vicente
"Muy serena está la mar" (J. M. Blecua, *El mar en la poesía
española*, Madrid, 1945, pp. 25-26). Lo volvió a utilizar Alberti
en 1940 en la escena final de *El Trébol florido* (*Teatro*, Buenos
Aires, 1950, p. 103).

Alba.
Dormíos, blancas doncellas,
hasta que el globo no caiga   10
en brazos de la marea.

¡Remadores, a remar;
hasta que el globo no duerma
entre los senos del mar! [153]

VACÍO [154]

Vestido como en la tierra,
ya mi voz con otro viento,
nadie quiere darse cuenta
que soy marino y guerrero,
que lo seré hasta que muera.   5

ILUSIÓN

1

Por el alba,
un verde pilitria clara. [155]

¡Si me escapara de casa
y fuera al mar por retama!...

Retama para el florero   5
mío, que no tiene agua;
para el altar ultramar
de mi traje marinero,
para...

¡A la playa,   10
por las retamas saladas!

[153] V. 14 En METS, METCont, PC, METBN y PA: en las gar-
gantas del mar (siendo exclamativo el solo v. 12).
[154] Suprimido en todas las ed. posteriores.
[155] V. 2 En METS, METCont, PC, METBN y PA: un verde
aspidistra clara.

2

Al alba me fui,
volví con el alba.

Vuelvo,
chorreando mar,   15
a mi casa. [156]

Amargo,
sin retama.

3 [157]

¡Traje mío, traje mío,
nunca te podré vestir,   20
que al mar no me dejan ir!

¡Nunca me verás, ciudad,
con mi traje marinero;
guardado está en el ropero,
ni me lo dejan probar! [158]   25

¡Mi madre me lo ha encerrado,
para que no vaya al mar! [159]

RIBERA

Ojos míos, ¿quién habría
detrás de la celosía?

¿Alguna niña bordando
amores de contrabando
para la marinería?   5

---

[156] Solita Salinas apunta que en estos versos (12-16) aparece un
posible recuerdo de la canción popular "A la mar fui por naranjas / cosa que la mar no tiene", en que la niña "toda viene moja-
dita / de olas que van y vienen" (SSM, p. 61).
[157] Publ. en *La Verdad*, 18 ene. 1925 y *Sí*, jul. 1925.
[158] V. 25 En *La Verdad*: no me lo dejan probar!
[159] Sin puntos de admiración los v. 22-27 en todas las ed. posteriores.

¡Ojitos que estáis mirando,
abrid vuestra celosía,
que estoy de amores penando!

Ojos míos, ¿quién habría
detrás de la celosía?   10

MAR

En las noches, te veo
como una colgadura
del mirabel del sueño.

Asomadas a ella,
velas como pañuelos   5
me van diciendo adiós
a mí, que estoy durmiendo.

MADRIGAL DE BLANCA-NIEVE [160]

Blanca-nieve se fue al mar.
¡Se habrá derretido ya!

Blanca-nieve, flor del norte,
se fue al mar del mediodía,
para su cuerpo bañar,   5
¡Se habrá derretido ya! [161]

Blanca-nieve, Blanca-y-fría,
¿por qué te fuiste a la mar
para tu cuerpo bañar?

¡Te habrás derretido ya!   10

160 Publ. en *Sí*, jul. 1925. Véase *supra*, la nota 23.
161 Separados por un espacio los v. 5-6 en PC y PA.

EL REY DEL MAR

1

Los marineros lo han visto
llorar, por la borda, fiero.

¡Por las sirenas malditas,
matádmelo, marineros!

Que él quiere ser rey del mar   5
y yo también quiero serlo.

2

¡Mis hombros de hombre de mar!
—Un manto de agua salada,
para vosotros, mis hombros—.

¡Mi frente de rey del mar!   10
—Una corona de algas,
para ti, mi sola frente—.

3 [162]

Mis amantes marineras
serán las reinas del mar.

Serán las reinas del mar,   15
cuando todas las banderas
de los barcos, masteleras,
me saluden al pasar.

¿Cuándo seré rey del mar,
de la mar?   20

Ya se fue la marinera
que a ver vino al marinero,

[162] El núm. 3 (v. 13-20), suprimido en todas las ed. posteriores.

nacida en la Normandía
y deportada al mar Muerto. [163]

Como ofrenda le traía   5
sus dos senos grises, yertos;
una manzana podrida
y un pez con cinco agujeros.

Mar muerta tiene que ser
la que no da frutos buenos,   10
sirena de Normandía
flotando sobre el mar Muerto.

Si yo nací campesino
si yo nací marinero,
¿por qué me tenéis aquí,
si este *aquí* yo no lo quiero?

El mejor día, ciudad   5
a quien jamás he querido,
el mejor día —¡silencio!—
habré desaparecido.

¡ALEGRÍA! [164]

A la estepa un viento sur
convirtiéndola está en mar.

¡Alegría,
ya la mar está a la vista!

¡Alegría,   5
pronto voy a navegar!

¡Alegría,
ya mi sueño marinero
—¡alegría!— va a zarpar!

---

[163] V. 4 En METCont, PC, METBN y PA: y desterrada al mar
Muerto.
[164] Sin título en METS, METCont, PC, METBN y PA.

A Rodolfo Halffter [165]

Si mi voz muriera en tierra,
llevadla al nivel del mar
y dejadla en la ribera.

Llevadla al nivel del mar
y nombradla capitana   5
de un blanco bajel de guerra.

¡Oh mi voz condecorada
con la insignia marinera:
sobre el corazón un ancla,
y sobre el ancla una estrella,   10
y sobre la estrella el viento,
y sobre el viento la vela!

FUNERALES

¡Pescadores, pescadores,
lanzad el arpón al viento,
y en banderas sin colores
izad vuestro sentimiento!

Lloren los ojos del puente   5
las aguas de treinta ríos;
que el puño de la corriente
rompa en el mar los navíos.

¡Lampiños guardias marinas,
que alegres guardáis las olas,   10
giman las negras bocinas
y callen las caracolas!

¡Marineras, marineras,
mujeres del aire frío,

165 Dedicatoria suprimida en *Sí*, jul. 1925, en *Litoral*, ag.-sept. 1968, y en todas las ed. posteriores. Véase *supra*, la nota 46.

regad vuestras cabelleras   15
negras por el playerío!

¡Sal, hortelana, del mar,
flotando, sobre tu huerto,
desnuda para llorar [166]
por el marinero muerto!   20

Llueve sobre el agua, llueve
nieve negra de alga fría.
Entre glaciares de nieve,
abierta, la tumba mía.

¡Funerales de las olas!   25
¡El viento, en los arenales!
—Entre apagadas farolas
se hunden mis funerales—. [167]

FIN

[166] V. 19 En P4, METS, METCont, PC, METBN y PA: desnuda,
para llorar
[167] V. 27-28 En P4, METS, METCont, PC, METBN y PA, sin
guiones.

RAFAEL ALBERTI

LA AMANTE

CANCIONES

(1925)

Segunda edición

EDITORIAL PLUTARCO
S. A.

MADRID
1929

Dibujo de Rafael Alberti para la segunda edición
de *La Amante* (1929)

RAFAEL ALBERTI EN 1925

EL ALEGRE [1]

Cuando decía sus cancioncillas, poniéndose la mano ante la boca como una bocina para pregonarlas, todo se llenaba de alegría, de la alegría del pregón matutino: una alegría frutal, verde y fresca; alegría de mercado, de feria y banderola; la alegría del cielo radiante en el que se dispara un clarín falso; la alegría de su risa, juvenil y humana, derramándose claramente de todo y llenándolo todo, en su locura, como si se hubiese roto su cañería conductora y no tuviésemos a mano ninguna consigna mágica para evitarlo.

José Bergamín, 1925

LA AMANTE

ITINERARIO

HACIA LAS TIERRAS ALTAS [2]

1

Madrid

Por amiga, por amiga.
Sólo por amiga.

Por amante, por querida.
Sólo por querida.

---

[1] Este texto es el primero de la serie titulada *Caracteres* publicada por José Bergamín (sin el nombre de los retratados) en Málaga (*Litoral*, 1926) y reimpresa en *Caballito del diablo* (Buenos Aires, Losada, [1942]). No consta en LALit. pero sí en LAPlut. LACont. PC y PA.

[2] Este subtítulo, sólo en LACont, PC y PA.

Por esposa, no.   5
Sólo por amiga. [3]

2

San Rafael
(Sierra de Guadarrama)

Si me fuera, amante mía,
si me fuera yo,

si me fuera y no volviera,
amante mía, yo,

el aire me traería,   5
amante mía,
a ti.

3

San Rafael
(Sierra de Guadarrama)

Zarza florida.
Rosal sin vida.

Salí de mi casa, amante,
por ir al campo a buscarte.

Y en una zarza florida   5
hallé la cinta prendida,
de tu delantal, mi vida.

Hallé tu cinta prendida,
y más allá, mi querida,
te encontré muy mal herida   10
bajo del rosal, mi vida.

[3] Encontramos aquí un eco de estos versos del *Cancionero de
Amberes sin año*: "Por Dios te ruego caballero / llévesme en tu
compañía / si quisieres por mujer / sino por amiga" (Ed. R. Menéndez Pidal, Madrid, 1914, fol. 192 v.). Sobre esta imaginada compañera de viaje, véase *Introducción biográfica y crítica*, p. 36).

Zarza florida.
Rosal sin vida;
bajo del rosal sin vida. [4]

4

Aranda de Duero

Madruga, la amante mía,
madruga, que yo lo quiero.

En las barandas del Duero,
viendo pasar la alba fría,
yo te espero.   5

No esperes que zarpe el día,
que yo te espero.

5

Aranda de Duero

Tu marido, mi barquera,
tu marido.

Que no vas a poder tú
sin tu marido.

Llevo una pena tan grande,   5
que no vais a poder tú
ni tu marido.

6

De Gumiel de Hizán
a Gumiel del Mercado

Debajo del chopo, amante,
debajo del chopo, no

[4] La evocación de la muerte de la amiga recuerda la canción
Mi corza de MET, según S. Salinas, quien añade: "Sin duda recuerda aquí Alberti el tema de la muerte anunciada por la muchacha
que sale a coger rosas, de la lírica anónima: 'Dentro en el vergel /
moriré. / Dentro en el rosal / matarm'han'" (SSM, p. 76).

Al pie del álamo, sí,
del álamo blanco y verde.

Hoja blanca tú,   5
esmeralda yo. [5]

7

DE PASO

Sotillo de la Ribera

Di, ¿por qué no nos casamos?
—Sotillo de la Ribera—.

Mira el cura.

¡Cómo fuma,
y cómo nos dice adiós,   5
y cómo unirnos quisiera!

8

La Horra

Aquí una casa, querida,
sólo con cuatro balcones,
sólo con cuatro cortinas,
sólo con dos corazones
y un espejito, mi vida.   5

9

La Horra

No sé qué comprarte.
Aquí nadie vende nada.
No sé qué comprarte.

¿Quieres un cordero, di,
con su cinta colorada?   5

Aquí nadie vende nada.

[5] V. 6 P1, P2, P3 y P4: hoja verde yo.

Dime lo que quieres, di.
No sé qué comprarte.

10

Roa de Duero

Otra vez el río, amante,
y otra puente sobre el río.

Y otra puente con dos ojos
tan grandes como los míos.

Tan grandes como los míos,   5
mi amante.
¡Mis ojos, cuando te miro!

11

NOCHE

La Vid de Aranda

La galga del río Duero,
mi amiga,
¡qué bien ladra!

¡Qué buena galga!

¡Y qué bien mueve la cola,   5
y qué bien guarda la puerta,
mi amiga,
y qué bien ladra!

¡Qué buena galga!

12

Aranda de Duero

¡Levanta!

Que la corriente del Duero
va tan de prisa, que el aire
le ha pulverizado el sueño.

¡Mi barca!   5

¡Levántate! [6]

13

De Aranda de Duero
a Peñaranda de Duero

¡Castellanos de Castilla,
nunca habéis visto la mar!

¡Alerta, que en estos ojos
del sur y en este cantar
yo os traigo toda la mar!   5

¡Miradme, que pasa el mar!

14

Peñaranda de Duero

Cazador de Peñaranda,
no llores, cazador mío,
porque no has cazado nada.

En los mimbrales del río,
te espera, alegre, una garza.   5

15

RUINAS

Peñaranda de Duero

¡Dejadme llorar aquí,.
sobre esta piedra sentado, [7]
castellanos,
mientras que llenan las mozas
de agüita fresca los cántaros!   5

---

[6] V. 6 LACont y PC: ¡Levantaté!
[7] Parece que la piedra a que alude Alberti es el rollo del siglo XV
que servía para poner en picota a los reos; se encuentra en la
calle que conduce a la puerta sur del castillo medieval de Peñaranda
de Duero.

—Niño, un vasito de agua,
que tengo locos los labios.

16

Peñaranda de Duero

¿Por qué me miras tan serio,
carretero?

Tienes cuatro mulas tordas,
un caballo delantero,
un carro de ruedas verdes,   5
y la carretera toda
para ti,
carretero.

¿Qué más quieres?

17

De Peñaranda de Duero
al teatro romano de Clunia

Ten cuidado en el molino,
que asaltan los perros grandes,
mastines, los mordedores.

¡De prisa, el amante mío,
hasta Coruña del Conde!   5

18

RUINAS [8]

Clunia

Siéntate en las graderías,
y mira la mar —el campo
de Castilla—.

[8] En Peñalba de Castro, al noreste de Aranda de Duero, se encuentran las ruinas de la colonia romana de Clunia, residencia de
los emperadores Sertorio y Galba, entre ellas las de un amplio
teatro.

Aquí canta la culebra,
le escupe verde el lagarto,   5
y el viento parte las piedras,
moviendo, hundido, los cardos.

19

Huerta de Rey

Los niños de la miga.
—¡A, B, C, D!

—Niña de moño encarnado,
dame de tu pan moreno,
que no ha comido mi amiga.   5

—¡E, F, G!

20

PREGÓN DEL AMANECER

Salas de los Infantes [9]

¡Arriba, trabajadores
madrugadores!

¡En una mulita parda, [10]
baja la aurora a la plaza
el aura de los clamores,   5
trabajadores! [11]

¡Toquen el cuerno los cazadores;
hinquen el hacha los leñadores;
a los pinares el ganadico,
pastores!   10

---

[9] En P1, P2, P3, P4, inversión de título y subtítulo.
[10] V. 3 LACont: ¡En una mulilla parda,
[11] V. 3-6 y 7-8, sin puntos de admiración en P1, P2, P3 y P4.

21

De Salas de los Infantes
a Quintanar de la Sierra

Al pasar por el Arlanza,
un navajazo de frío
le hirió la flor de la cara.

¡Mi sangre, el amante mío!
¡Se me olvidó mi bufanda!   5

22

Quintanar de la Sierra

Por la espesura, mi amor,
se le ha perdido una cabra
y va llorando el pastor.

—¡Mi mastín, mi dulce galga!
Me los mataron los ciervos   5
en la montaña.

Por la montaña, mis ojos,
sola, mi cabra.

23

NANA

Quintanar de la Sierra [12]

La mula cascabelera.

Y el niño más chiquitito
dando vueltas por la era.

—¡Glín, glín! —Ya está dormidito.

¡Y la tárantula, madre,   5
al pie de su madriguera!

12 En Pl, P2, P3 y P4, inversión de título y subtítulo.

24

Canicosa de la Sierra

Sí, nada más que la abuela,
la abuela entre las gallinas,
y el nieto subido a un árbol.
Sí, nada más.

No; por invierno las nieves,   5
los corzos y los venados,
y la fogata en el monte
para que el lobo del viento
no devore los ganados.

25

De Canicosa de la Sierra
a Santo Domingo de Silos

No quiero pasar de noche,
sin luna, el desfiladero.
No quiero.

Que no lo quiero pasar,
porque no veo lo hondo,   5
lo hondo que va el pinar.

26

DIALOGUILLO DE LA VIRGEN
DE MARZO Y EL NIÑO

Santo Domingo de Silos
A Fray Justo Pérez de Urbel [13]

—¡Tan bonito como está,
madre, el jardín, tan bonito!
¡Déjame bajar a él!

[13] Dedicatoria suprimida en LACont, PC y PA. Durante su viaje, Rafael Alberti y su hermano Agustín se hospedaron en el convento de benedictinos de Santo Domingo de Silos. Cuenta el primero: "En la comunidad había un poeta, culto y simpático, aunque bas-

—¿Para qué?

—Para dar un paseíto. [14]   5

—Y, mientras, sin ti, ¿qué haré?

—Baja tú a los ventanales;
dos blancas malvas reales
en tu seno prenderé.

¡Déjame bajar, que quiero,   10
madre, ser tu jardinero!

27

RÍO ROJO

Covarrubias

Con las lluvias no podré
bañarme en el río, amante,
que viene el cuerpo del agua
herido y envuelto en sangre.

28

Lerma

Arriba, el balcón del frío,
las balaustradas del aire,
el cielo y los ojos míos.

---

tante mal poeta, Justo Pérez de Urbel, conocedor de la simbología
de las pinturas y capiteles románicos de los claustros. Cosas mara-
villosas le escuché, lecciones que no he olvidado todavía. Él me
mostró el códice de Gonzalo de Berceo, tesoro que custodia la Orden
desde que se escribiera y en cuyas hojas aspiré el aroma sagrado
y primigenio de nuestra poesía" (AP, p. 228). Fray Justo Pérez
de Urbel, nacido en 1895, es autor de varias obras de historia de
España e historia religiosa y de algunos libros de versos. Es catedrático de la Universidad de Madrid y actualmente abad de la aba-
día de la Santa Cruz del Valle de los Caídos.
    Este "poema en honor de la Virgen de Marzo y el Niño, que con
ojos de vaca presidían el claustro bajo, no lejos del ciprés y las
malvas reales del jardín" lo escribió Alberti en el álbum para los
huéspedes del convento (AP, p. 231).
[14] Sin espacio entre los v. 4-5 en PC. Sin espacio entre los
v. 4-5 y 5-6 en PA.

Abajo, el mapa: tres ríos
y un puente roto, sin nadie.   5

29

Burgos

Sólo por esta mañana,
dejadme guardar el puente,
que yo mandaré a las aguas
que encaucen bien su corriente.

Que van ciegas, ciegas, ciegas,   5
dándose hombros y frente,
mi amiga, contra las piedras.

30

CANGREJOS [15]

Burgos

Tu cangrejo de río
me ha enamorado a mí.

Pero el cangrejo mío,
el de la mar, a ti.

31

EL CRISTO DE BURGOS
(CATEDRAL)

Burgos

Hoy no me mires a mí,
mañana nos miraremos.

¡Míralo, mi sola amiga,
míralo! ¡Cómo lo han puesto!

Parece, mi sola amiga,   5
que estoy bajo un sauce negro.

[15] Publ. en *Lola*, amiga y suplemento de *Carmen*, núms. 6-7
[junio 1928] (Véase *Noticia bibliográfica*, p. 54).

32

EL CRISTO DE BURGOS [16]
(CATEDRAL)

Burgos

¡Por mis más negros difuntos,
dime! No sé de qué eres,
Cristo moreno de Burgos,
no.

—De piel de búfalo dicen, [17]   5
dicen que de piel de búfalo,
yo.

33

SAETA
(CATEDRAL)

Burgos

¡Ay qué amargura de piedra,
por las calles encharcadas!

Nadie le ayuda un poquito.
Todos le empujan.
¡Que se desangra!   5

Ya se ha quedado sin hombros;
partido lleva el aliento,
las rodillas desgarradas. [18]

Nadie le ayuda un poquito.
Todos le empujan.   10
¡Que se desangra!

Tan sólo las Tres Marías,
llorando, por las murallas.

[16] En LALit no se imprimió esta canción (véase *Noticia biblio-gráfica*, p. 53 y *Apéndice segundo*, p. 272).
[17] El cristo de la Catedral de Burgos es considerado como de origen oriental. La tradición dice que Nicodemo lo había modelado según el cadáver de Jesús después del descendimiento de cruz. Parece más bien ser de fines del siglo XIV. Está hecho de piel y por tanto es flexible a la presión; lleva cabellos y cejas humanas.
[18] V. 8 LAPlut, LACont, PC y PA: las rodillas, desgarradas.

34

Burgos

¡Arrancadme los cabellos,
y señaladme la cara
con los dedos!

Que yo, a pesar, lo veré.

¡Echadme arena en los ojos,   5
hacedme perder el habla,
y partidme en dos el tronco
con un hacha!

Que yo, a pesar, lo veré.

¡Sí, yo veré el mar del norte   10
y, luego, me moriré!

35

PLAZA

Burgos

Antes de partir, quisiera
tomar un barquito helado,
barquillera.

—Barquillera, dameló.

Que tenga el aire arbolado   5
el sol de la naviera,
que soy marinero yo.

Dibujo de Rafael Alberti para la segunda edición
de *La Amante* (1929)

Dibujo de Rafael Alberti para la segunda edición
de *La Amante* (1929)

36

De Burgos a Villarcayo

Castilla tiene castillos,
pero no tiene una mar. [19]
Pero sí una estepa grande,
mi amor, donde guerrear.

Mi pueblo tiene castillos,   5
pero además una mar,
una mar de añil y grande, [20]
mi amor, donde guerrear.

37

DE PASO

Peñahorada

¡Ay qué castigo las piedras
que coronan Peñahorada!

¡Ligero, amante, ligero!

Sin ti yo me quedaría,
si el viento las empujara.   5

38

DE PASO
(Saludo) [21]

Valle de Valdivielso

¡Arriba, arribita, arriba!
—¡Buenas tardes, río Ebro!

¡Arriba, abajo, arribita!
—¡Ten, para ti, mi sombrero!

[19] Los v., separados por un espacio de dos en dos, en LACont,
PC y PA.
[20] V. 6-7 LACont, PC y PA: pero además una mar. / Una mar
de añil y grande.
[21] En LACont, PC y PA: (Saludos).

39

DE PASO.

Valle de Valdivielso

Quisiera quedarme mimbre
de las laderas del Ebro,
agüita con rumbo al mar,
quisiera, pero no puedo.

40

Villarcayo

En los tréboles del soto,
¡Dios, lo que yo me encontré!

—¿Lo sabes?

—¡Sí que lo sé!

—Pues dime lo que encontré
en los tréboles del soto.   5

—¡Dios, sí que te lo diré:
mi anillo, mi anillo, roto! [22]

41

Medina de Pomar

¡A las altas torres altas
de Medina de Pomar! [23]

¡Al aire azul de la almena,
a ver si ya se ve el mar! [24]

¡A las torres, mi morena!   5

[22] E. Proll (en su art. cit., *Bull. of Spanish Studies*, XIX, 1942,
p. 65) apunta que se introducen aquí el motivo (tan frecuente en
las canciones populares) del trébol, y el tema del anillo perdido,
que se encuentra en varias *Cantigas d'amigo*, por ejemplo: "O anel
do meu amigo / perdi-o so lo verde pihno" (Pero Gonçalvez Porto
Carreiro, en *Cancioneiro da Vaticana*, núm. 505).
[23] En Medina de Pomar (a 3 kms. de Villarcayo) se conservan
las ruinas de un castillo del siglo xv, en cuyo interior se ven ves-
tigios de estucados mudéjares e inscripciones góticas.
[24] Entiéndase "el otro mar", el Cantábrico.

42

Medina de Pomar

La hortelana más garrida
y la rosa más florida.

¡Mírala qué colorida!

¡Quién le pudiera injertar
su sangre, vida, su herida,   5
en un caracol de mar!

43

Tierras de Santander

El pueblo se ha caído
—¡Madre, recogeló!—
por un barranco hondo,
que no sé bajar yo.

—Hija, si tú no sabes   5
bajar, menos sé yo.
Tú tienes 15 años,
50 tengo yo. [25]

44

Limpias

La vaca. El verde del prado,
todavía.

Pronto el verde de la mar,
la escama azul del pescado,
el viento de la bahía   5
y el remo para remar.

[25] V. 7-8 LACont, PC y PA: tú tienes quince años, / sesenta
tengo yo.

45

¡EL MAR!

Laredo

¡Perdonadme, marineros,
sí, perdonadme que lloren
mis marecitas del sur
ante las mares del norte!

¡Dejadme, vientos, llorar,   5
como una niña, ante el mar!

46

Laredo

¡Marineros, mis zapatos!

Las calles de la marina
hay que pasarlas descalzo.

47

MI LIRA

Laredo

Cuando no tengas, mi lira,
lecho donde descansar,
mira, aquí tienes la mar
alegre, fresquita y buena,
mi lira.   5

¡Sábana azul, con embozo
de espumas blancas y amenas;
mira, almohadas de arena
alegre, fresquita y buena,
mi lira!   10

—¿Y quién me desnudará
al pie del agua zafira?

—La reina de las sirenas
y el hijo del rey del mar,
mi lira.   15

48

De Laredo
a Castro Urdiales

El viento marero sube,
se para y canta en mi hombro,
mirlo de mar,
y no se va.

No sé lo que cantará.   5
Dímelo, viento marero,
martín de mar.

Y el viento marero huye,
vuelve, se cierra en mi hombro,
dalia de mar,   10
y no se va.

49

Castro Urdiales

Rema, rema, remadora,
que yo llevaré el timón
hacia la lancha vapora,
que espera, inquieta, el carbón.

¡Más de prisa, mi remera,   5
que aquella gasolinera
nos coge la delantera!

50

De Castro Urdiales
a Portugalete

¡Nombradme lo que yo quiero!

¡Ponedme la banda azul
de los mares, marineros!

¡Y mueva el aire en mi gorra
la cinta verde del viento!   5

51

Santurce

No, tu balandro, mañana.
Hoy la lancha más bravía,
más ligera y más galana:
la de la Capitanía.

52

Sestao

Tan alegre el marinero.
Tan triste, amante, el minero.

Tan azul el marinero.
Tan negro, amante, el minero.

53

Bilbao

¡Fiera cigala del mar!
Del mar que yo te robé, [26]
al agua gris de la ría,
al agua gris te arrojé.

¡Y el agua tan gris, amante,   5
tan gris, que murió de sed!

[26] En LACont y PC, los v. están separados de dos en dos por
un espacio. En PA, espacio entre los v. 1-2 y 4-5.

DE VUELTA DEL LITORAL

54

NIEBLA

Peña de Orduña

¡Virgen de Orduña, en la cumbre
del aire! ¡Dominadora! [27]

De tu manto bolinero
nazca la aurora, Señora.

Que por el desfiladero   5
va a pasar mi pescadora.

55

ASALTO EN EL RÍO

Miranda de Ebro [28]

Las lavanderas, lavando.

Y una escuadrilla de ánades,
picos al viento, bogando.

—¡Cuidado, la lavandera!
Mira que el ánade chico   5
ha izado, al sol, en su pico,
un pañolín por bandera.

56

Sierra de Pancorbo

Ya no sé, mi dulce amiga,
mi amante, mi dulce amante,

---

[27] La carretera de Bilbao a Miranda de Ebro cruza la Peña de
Orduña, al pie de la cual está situada la ciudad del mismo nombre.
En la línea de Vizcaya, a una altura de unos 600 metros sobre
el valle, está edificado un monumento a la Virgen, derribado en
varias ocasiones por la tormenta.

ni cuáles son las encinas,
ni cuáles son ya los chopos,
ni cuáles son los nogales,   5
que el viento se ha vuelto loco,
juntando todas las hojas,
tirando todos los árboles.

57

Belorado
(Montes de Oca)

A la entrada, mi niña,
a la entrada del pueblo.

Me dijiste, mi niña,
¡buenas noches, mi rey!
con tu pañuelo.   5

Con tu pañuelo de espuma;
no, de luna;
no, de viento.

58

Pradoluengo

¿Dónde dormiré esta noche,
si están las hospederías
rebosando, amante mía?

¡Anda, dile al hospedero
que viene la noche fría,   5
y que en el monte no quiero
dormir, compañera mía!

59

Pradoluengo

Los gallos. ¡Ya cantan! [29]
¡Vamos! ¡La alborada!

---

28 En P1, P2, P3 y P4, inversión de título y subtítulo.
29 V. 1 y 6, sin puntos de admiración en P1, P2, P3 y P4.

Rafael Alberti. Dibujo de S. O. Sabsay

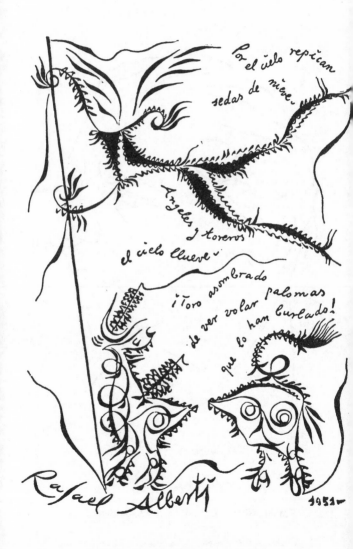

Por el cielo repican
sedas de nieve.

Angeles y toreros
el cielo llueve.

¡Toro asombrado
de ver volar palomas
que lo han burlado!

Rafael Alberti

1951

Aguas de río,
que no de mar,
aún tenemos que pasar.   5

¡Ya cantan los gallos!
La alborada. ¡Vamos!

60

DE PASO

(EL CHOPO DE LA MUERTE) [30]

Madrigalejo del Monte

Aquí los mataron, vida,
aquí los mataron.

Eran mis buenos amigos,
vida,
y aquí los mataron.   5

61

Aranda de Duero

Verdes erizos del mar.
¡Dos, puntiagudos y fieros! [31]

El uno para ti, Duero.
Duero, para ti, de mí.

El otro ya no está aquí,   5
que vive, alegre, en el Ebro.

Ebro, para ti, de mí.

[30] Según E. Proll (en su *art. cit.*, pág. 64) hay en esta canción
un eco de la del siglo xv, *En Ávila, mis ojos*, que inspiró *Mi corza*
de *Marinero en Tierra* (véase pp. 95-96).
[31] V. 2, sin puntos de admiración en P1, P2, P3 y P4.

62

Entrada en Madrid

Aureolado del aire
y del salitre del mar,
vuelvo de los litorales.

¡Mirad también a mi amante,
que aureolada de espuma   5
y del salitre del aire,
vuelve de los litorales! [32]

MADRID

63

MADRIGAL DEL PEINE PERDIDO

I

NANA

Noche

¡Ea, mi amante, ea,
ea la ea! [33]
¡El peinecillo tuyo,
que verde era!

Perdiste el peinecillo,   5
ea la ea,
mi amante,
que era de vidrio.

El peinecillo tuyo,
ea la ea,   10
que era de vidrio verde,
mi amante,
ea.

[32] V. 4-7, sin puntos de admiración en P1, P2, P3 y P4.
[33] V. 1-2, sin puntos de admiración en P1, P2, P3 y P4.

64

II

Entresueño

Mañanita, despeinada,
mañanita.   15

¿Y cómo iré yo a la misa
despeinada?

Dirá la Virgen María:
¿Cómo vienes a la misa
despeinada?   20

65

III

Ritornelo [34]

Duerme.
Que en el mar, huerto perdido,
va y viene, amante, tu peine,
por los cabellos, mi vida,
de una sirenita verde.   25

De una verde sirenita,
que se los peina a la orilla,
mientras la orilla va y viene.

Duerme, mi amante,
porque va y viene.   30

66

A oscuras y callandito, [35]
mi amante, sí;
no a la luna.

[34] Subtítulo. LACont, PC y PA: *Vuelta.*
[35] V. 1 LACont, PC y PA: Los dos callando y a oscuras,

TRIDUO DE AILA. EN HONOR
DE LA VIRGEN DEL CARMEN

1

DÍA DE CORONACIÓN

(En el atlantico)

Sobre el mar que le da su brazo al río
de mi país. Te nombran capitana
de los mares. la voz de la mañana
y la sirena azul de un navío

Los faros verdes pasan su aldua
por el puerto arenal del plaperío,
del fondo de la mar, el rocerío
sube. en tu honor —tin, tan— de una campana

, Campanita de islena submarina
quién te tañera y bajo tu ayudara
una misa e la Virgen del Carmelo, . .

ya generala y sol de la marina . . .
—La cúpula del mar como tierra ,
y como nuncto la ilusión del cielo !

R A

Manuscrito autógrafo de Rafael Alberti
(Véase página 130 de esta edición)

Pero sí muy callandito, [36]
mi amante, a oscuras;   5
y no a la luna.

67 [37]

Dormido quedé, mi amante,
al norte de tus cabellos,
bogando, amante, y soñando
que dos piratitas negros [38]
me estaban asesinando.   5

68

Por esas ojeras yo
me estoy quedando sin vida.

¡Muerte!, porque ya mi voz
me suena desconocida.

69 [39]

Compañero, amante mío,
vivimos mal,
y Dios nos va a castigar.

Di, ¿por qué no nos casamos,
amante mío?   5
Vivimos mal.
¡Y yo me quiero salvar!

¡A la boda, compañero,
porque contigo quisiera
vivir, ya muerta, en el cielo!   10

[36] V. 4 LACont, PC y PA: Pero sí los dos callando,
[37] Publ. en *Lola*, amiga y suplemento de *Carmen*, núms. 6-7
[junio 1928] (Véase *Noticia bibliográfica*, p. 54).
[38] V. 4 LACont, PC y PA: que dos piratillas negros
[39] Esta canción figura en LALit y LAPlut, pero fue suprimida
por Alberti en LACont, PC y PA.

70

¡Por amor a la Morita,
vida, no!

¡Que a ti no te quiera nadie,
vida, más joven que yo!
¡Que bien joven que soy yo! [40]   5

¡Que a ti no te quiera nadie,
ni más joven, ni más viejo,
ni más alegre que yo!
¡Que bien alegre soy yo!

¡Por la Virgen Morenita,   10
vida, no!

71

Despedida [41]

¡Al sur,
de donde soy yo,
donde nací yo,
no tú!

—¡Adiós, mi buen andaluz!   5

—¡Niña del pecho de España,
¡mis ojos! ¡Adiós, mi vida!

—¡Adiós, mi gloria del sur!

—¡Mi amante, hermana y amiga!

—¡Mi buen amante andaluz!   10

---

[40] Un espacio entre los v. 4 y 5 en LACont.
[41] Publ. en *Lola*, amiga y suplemento de *Carmen*, núms. 6-7
[jun. 1928] (Véase *Noticia bibliográfica*, p. 54).

RAFAEL ALBERTI

EL ALBA
DEL ALHELÍ

(1 9 2 5 - 1 9 2 6)

TALLERES TIPOGRAFICOS DE "LA ATALAYA"

EL ALBA DEL ALHELÍ

PRÓLOGO [1]

Todo lo que por ti vi
—la estrella sobre el aprisco,
el carro estival del heno
y el alba del alhelí—,
si me miras, para ti.   5

Lo que gustaste por mí
—la azúcar del malvavisco,
la menta del mar sereno
y el humo azul del benjuí—,
si me miras, para ti.   10

PRIMER LIBRO

A Benjamín Palencia

(Barrax) [2]

EL BLANCO ALHELÍ

NAVIDAD [3]

1

¡Muchachas, las panderetas!

De abajo yo, por las cuestas, [3 bis]
cantando, hacia el barrio alto.

---

[1] En *Rev. de Occidente,* jul. 1925: *Canción.*
[2] Al célebre pintor Benjamín Palencia, le conoció Alberti durante
el verano de 1926 (AP, p. 244). Dedicatoria suprimida en todas las
ed. posteriores.
[3] Cuando volvió a Rute por segunda vez en 1925, escribe Alberti,
"se acercaba la Navidad. Para alegrar a mis sobrinillos, escribí una
[3 bis] Sin espacio entre los v. 1-2 en las ed. posteriores.

La Virgen María
llorando, arrecida,   5
hacia el barrio bajo.

¡Las panderetas, muchachas!

2

—Un portal.

            —No lo tenemos.

—Por una noche...

            —¿Quién eres?

—La Virgen.

            —¿La Virgen tú,

tan cubiertita de nieve?

—Sí.   5

3

La mejor casa, Señora,
la mejor,
si sois la Madre de Dios. [4]

Que tenga la mejor cama,
Señora,   5
la mejor,
si sois la Madre de Dios.

¡Abran los portales, abran!
¡Pronto,
por favor,   10
que está la Madre de Dios!

---

serie de canciones inspiradas en las figuritas del Nacimiento que les
levanté" (AP, p. 234). Cuatro poesías de esta serie fueron publicadas en *Blanco y Negro* del 21 dic 1930 con títulos distintos; las
doce, seguidas de *Los tres noes* y *Vísperas de la huida a Egipto*,
en *Litoral*, núm. 5, dic. 1968 - ene. 1969.
[4] V. 3 ADACont y PC: si sois la madre de Dios.

4

¡Sin dinero, Buen Amor!
¡Y tu padre carpintero!
¿Cómo vivir sin dinero?

—¡Vendedor,
que se muere mi alba en flor!   5

¡Sin pañales mi lucero!
¡Y sin manta abrigadora,
temblando tú, Buen Amor!

—¡Vendedora,
que se muere mi alba en flor!   10

5

AL Y DEL

En un carrito, tirado
por una mula, al mercado,
San José.

—¡Arre, mula, eh!

En un carrito, sembrado
de verduras, del mercado,
San José.

—¡Vuela, mula, eh!

6

EL ÁNGEL CONFITERO

De la gloria, volandero,
baja el ángel confitero.

—¡Para ti, Virgen María,
y para ti, Carpintero, [5]
toda la confitería!

5 V. 4 ADACont, PC y PA: y para ti, carpintero.

—¿Y para mí?

                    —Para ti,
granitos de ajonjolí.

A la gloria, volandero,
sube el ángel confitero.

7

LA HORTELANA DEL MAR

Descalza, desnuda y muerta,
vengo yo de tanto andar.
¡Soy la hortelana del mar!

Dejé, mi Niño, mi huerta,
para venirte a cantar: 5

¡Soy la hortelana del mar...
y, mírame, vengo muerta! [6]

8

EL CAZADOR Y EL LEÑADOR

—Y di, ¿qué me traes a mí?

—Un ansar del río
te traigo yo a ti.
  —¿Y qué eres tú, di?

—Cazador.   5
—Gracias, cazador.

—Y tú, ¿qué me traes a mí?

—Fuego para el frío
te traigo yo a ti.

  —¿Y qué eres tú, di?   10

[6] En PC y PA, los v. están agrupados así: 1-2, 3-5, 6-7.

—Leñador.
—Gracias, leñador. [7]

9

EL PLATERO

—A la Virgen, un collar,
y al Niño Dios un anillo.

—Platerillo,
no te los podré pagar.

—¡Si yo no quiero dinero!   5

—¿Y entonces qué?, di.
                                —Besar
al Niño es lo que yo quiero.

—Besa, sí.

10

EL PESCADOR

Toda la noche pescando
y todo el día remando,
para encontrarte llorando.

No llores tú, Niño mío,
que estos luceros de río,   5
verdes, te irán consolando.

11

EL ZAPATERO

Zapatitos de esmeralda,
con hebillas de platino.

7 ADACont y PC agrupan los v. 1-4 así: 1, 2-3, 4; en PC y
PA: 1, 2-3, 4, 5, 6, 7, 8-9, 10, 11, 12.

—¡Deja esa cuna de avena
y esa almohada de trigo!

Zapatitos de esmeralda,   5
con lazadas de oro fino.

—¡Déjala, Amor, y, calzados
tus pies, al cielo conmigo!

Zapatitos de esmeralda,
con hebillas de platino.   10

12

EL SOMBRERERO [8]

—Para las nieves de enero.
—¿Qué para las nieves, di?
—Un sombrero.
—¿Y quién me lo ofrece a mí?
—¡Quién va a ser! ¡El sombrerero!   5

13

LOS TRES NOES

PRIMER NO

—Pastor que vas con tus cabras
cantando por los caminos,
¿quieres darme una cabrita
para que juegue mi niño? [9]

—Muy contento se la diera,   5
si el dueño de mi ganado,
Señora, lo permitiera.

---

[8] Sin título en ADACont. En PC y PA, espacio entre los v. 3-4.
[9] V. 4 En *Blanco y Negro*, 21 dic. 1930: para que juegue mi Niño?

SEGUNDO NO

—Aceitunero que estás
vareando los olivos,
¿me das tres aceitunitas   10
para que juegue mi niño? [10]

—Muy contento se las diera,
si el dueño del olivar,
Señora, lo permitiera.

TERCER NO

—Ventero amigo que estás   15
sentado en tu ventorrillo,
¿quieres darme una cunita
para que duerma mi niño?

—Muy contento se la diera,
si hubiese sitio y el ama,   20
Señora, lo permitiera.

14

VÍSPERA DE LA HUIDA A EGIPTO [11]

—La albarda mejor de todas
las tuyas, albardonero.

—Carpintero,
¿para qué?

—Mañana te lo diré.   5
Voy muy lejos...

—La mejor mula de todas
las tuyas, mi buen mulero.

[10] V. 8-11 Estos cuatro versos, dice Alberti en sus memorias, se
hicieron famosos, "con algunas variantes" y "repitiéndose por toda
España como de autor anónimo" en los recitales de la compañía de
"La Argentinita" (AP, p. 235).
[11] En ADACont, PC y PA: *Vísperas de la huida a Egipto*.

—Carpintero,
¿para qué?   10

—Mañana te lo diré.
Voy muy lejos...

LA HÚNGARA [12]

1

Quisiera vivir, morir,
por las vereditas, siempre.
¡Déjame morir, vivir,
deja que mi sueño ruede
contigo, al sol, a la luna,   5
dentro de tu carro verde!

2

—Vas vestida de percal...

—Sí, pero en las grandes fiestas
visto una falda de raso
y unos zapatos de seda.   10

—Vas sucia, vas despeinada...

—Sí, pero en las grandes fiestas
me lava el agua del río
y el aire puro me peina.

3

...Y yo, mi niña, teniendo   15
abrigo contra el relente,
mientras va el sueño viniendo.

[12] Estas canciones son, dice Alberti, unas "coplillas dedicadas a
una preciosa muchacha magiar, vagabunda con su familia dentro
de un carro verde ornamentado de flores, pájaros y espejitos" (AP,
p. 190). Publicadas en *Meseta*, n.º 5, mayo 1925; en parte en
ABC, 1.º mar. 1931; en *Rev. portuense*, 5 mar. y 14 oct. 1931; y
en *Rev. Hisp. Mod.*, ene. 1936.

...Y tú, mi niña, durmiendo [13]
en los ojitos del puente,
mientras va el agua corriendo.   20

4

¡Por toda España, contigo!

¡Por las ferias de ganados,
por las plazas de los pueblos,
vendiendo caballos malos,
vida, por caballos buenos!   25

¡Por todo el mundo, contigo!

5

Tan limpita, tan peinada, [14]
con esos dos peinecillos
que te asesinan las sienes,
dime, di, ¿de dónde vienes?   30

Con esa falda encarnada
y esas dos rosas de lino
en tus zapatitos verdes,
dime, di, ¿de dónde vienes?

6

Me voy quedando sin sueño.   35
¡No puedo dormir, miradme!
Nunca más podré dormir,
que se me ha muerto mi dueño.

Me estoy quedando sin sangre.
¡No puedo vivir, miradme!   40
Nunca más podré vivir,
que se me ha muerto mi amante.

[13] V. 18 ADACont, PC y PA, sin puntos suspensivos ni espacio
entre los v. 3-4.
[14] V. 27 ADACont, PC y PA: Tan limpia tú, tan peinada,

7

No puedo, hasta la verbena,
pregonar mi mercancía,
que el alcalde me condena.   45

¡Pero qué me importa a mí,
si en estos campos, a solas,
puedo cantártele a ti! :

—¡Caballitos, banderolas,
alfileres, redecillas,   50
peines de tres mil colores!

¡Para los enamorados,
en papeles perfumados,
las dulces cartas de amores!

¡Alerta, los compradores!   55

8

—Por una noche, a mi casa.
¡Vente a dormir a mi cuarto!

—Mire, señor,
tengo un carro.

—Por una noche, en tu casa.   60
¡Quiero dormir en tu carro!

—Mire, señor,
tiene su casa. [15]

9

Yo, por el campo, a las eras,
pensando en tu vida errante   65
por todas las carreteras.

[15] V. 56-63 En PC y PA, agrupados de cuatro en cuatro.

Tú, en la ventana del carro,
mirándote a un espejito
y con un peine en la mano.

10

¿Por qué vereda se fue?   70
¡Ay aire, que no lo sé!

¿Por la de Benamejí?
¿Por la de Lucena o Priego?
¿Por la de Loja se fue?
¡Ay aire, que no lo sé!   75

Ahora recuerdo: me dijo
que caminaba a Sevilla.
¿A Sevilla? ¡No lo sé!

¿Por qué vereda se fue?
¡Ay aire, que no lo sé!   80

EL PESCADOR SIN DINERO [16]

1

Me digo y me retedigo.

¡Qué tonto!
¡Ya te lo has tirado todo!

Y ya no tienes amigo,
por tonto; que aquel amigo   5
tan sólo iba contigo
porque eres tonto.

¡Qué tonto!

[16] La serie titulada *El pescador sin dinero*, aclara Alberti citando
los v. 4-7, "fue motivada por la manera un tanto tonta de tirarme
el dinero del Premio Nacional con amigos ocasionales" (AP, p. 235).
Así se agrupan los versos en ADACont, PC y PA: 1, 2, 3-7, 8, 9-12,
13, 14. Véase la nota 23, p. 86, de MET.

Y ya nadie te hace caso,
ni tu novia, ni tu hermano,   10
ni la hermana de tu amigo,
porque eres tonto.

¡Qué tonto!

Me digo y me lo redigo...

2

Sin dinero   15
¡Ya ves tú!
Ya sin dinero.

¡Campito mío en la mar, [17]
ya no te podré comprar,
que me quedé sin dinero!   20

¡Ya ves tú!

3

TÚ Y YO

Tú nunca te has de casar,
porque no tienes dinero,
me digo yo.

Casarme yo, viajar   25
con él por el mundo entero,
te dices tú.

Di, ¿para qué enamorar,
si siempre has de ser soltero?
me digo yo.   30

Pero... ¿para qué soñar,
si nunca tendrá dinero?
te dices tú.

---

[17] V. 18 ADACont, PC y PA: ¡Oh campo mío en la mar,

4

Pez verde y dulce del río,
sal, escucha el llanto mío: 35

Rueda por el agua, rueda,
que no me queda moneda,
sedal tampoco me queda...
Llora con el llanto mío.

No me queda nada, nada,   40
ni mi cesta torneada,
ni mi camisa bordada,
con un ancla, por mi amada...
Llora con el llanto mío.

¡Sí, llorad, sí, todos, sí!   45

ESTAMPAS, PREGONES, FLORES, COPLILLAS...

A José María de Cossío [18]
(Santander)

1

LA NOVIA [19]

Toca la campana
de la catedral.
¡Y yo sin zapatos,
yéndome a casar!

¿Dónde está mi velo,   5
mi vestido blanco,
mi flor de azahar? [20]

18 Sin dedicatoria en las ed. posteriores.
19 Sin título en ADACont. Publ. en *La Verdad, Sup. lit.*, 6 jun.
1926.
20 V. 7 En *La Verdad*: la flor de azahar.

¿Dónde mi sortija,
mi alfiler dorado,
mi lindo collar? 10

¡Date prisa, madre!
Toca la campana
de la catedral.

¿Dónde está mi amante?
Mi amante querido, 15
¿en dónde estará?

Toca la campana
de la catedral
¡Y yo sin mi amante,
yéndome a casar! 20

2

EL LANCERO Y EL FOTÓGRAFO
(Plazuela)

—¡Quiero retratarme, quiero,
con mi traje de lancero,
con mi casco y su plumero,
y quiero ser el primero!

—Quietecito, quietecito 5
con la lanza, el caballero,
que va a salir, volandero,
de esta casa, un pajarito.

¿Qué pajarito?
—Un pajarito jilguero. 10

—¡Pues lo quiero!
—¡Qué mal lancero!

3

EL FAROLERO Y SU NOVIA

—¡Bien puedes amarme aquí,
que la luna yo encendí,
tú, por ti, sí, tú, por ti!

—Sí, por mí.

—Bien puedes besarme aquí,   5
faro, farol, farolera,
la más álgida que vi!

—Bueno, sí.

—Bien puedes matarme aquí,
gélida novia lunera   10
del faro farolerí!

—Ten. ¿Te di?

4

LA NIÑA DEL OLIVAR [21]

Pronto, que se va a casar,
para la Virgen de mayo,
la Niña del Olivar!

—Costurerilla,
mi traje...   5
Toma la aguja.

¡La Niña del Olivar,
la reina de la aceituna,
con Currito el del lagar!

—Costurerilla,   10
mi traje...
Toma el dedal.

---

[21] Poesía suprimida en las ed. posteriores.

¡Olé la Niña del Olivar,
que con el Niño del Aguardiente,
para la Virgen se va a casar!   15

Costurerilla,
mi traje...
Cóselo ya.

5

LA CALERA

Calera que das la cal,
píntame de blanco ya.

Pintado de blanco, yo [22]
contigo me casaría.
Casado, te besaría   5
la mano que me encaló.

Calera que das la cal,
píntame de blanco ya.

Me casé con Cal-y-nieve,
y ya mi boca encalada   10
a besar sólo se atreve
su alba mano blanqueada.

Calera que das la cal,
píntame de blanco ya.

6

MODAS [23]

Tú no sabes lo que es eso
y ojalá nunca lo sepas:
en la boca el colorete,
las melenitas cortadas,

---

[22] En PC y PA, sin espacio entre los v. 2-3.
[23] En ADACont, PC y PA: *De la ciudad al campo.*

el cuerpo sobre la falda,   5
y las medias transparentes.
¡Viva toda tú franjada
de redondeles de grana!

   ¿No sabes que ya las rosas
no son del tiempo, en la cara?   10
Si a ti las pinta el aire,
¡mejor que mejor, serrana!

   ¿No sabes que los cabellos
los peinan peines de plata?
Si a ti los peina el viento,   15
¡mejor que mejor, serrana!

   ¿No sabes tú que las medias
son de seda y no de lana?
Si son de algodón las tuyas,
¡mejor que mejor, serrana!   20

7

LA PASTORA Y EL PASTOR

   —¿Qué buscas entre las piedras?

   —Yo busco los nazarenos,
la flor de los conejitos
y la yerba jabonera.

   ¡Ayúdame tú, bien mío,   5
yo te enseñaré las yerbas!

   La lenguaza, la romaza;
jugosa, la lechetrezna,
para pintarse lunares
la niña que no los tenga.   10

   ¡Ayúdame tú, bien mío,
te enseñaré a conocerlas!

—Yo no te puedo ayudar,
que voy, ligero, a las eras,
pastor que vas por los cerros,   15
libando, de piedra en piedra. [24]

8

¡AL PUENTE DE LA GOLONDRINA!

¡Vente, rondaflor, al puente
de la golondrina, amor!

—¡Buenos días, hiladora
del agua-rosa-naciente!

—¡Buenos días, rondaflor!   5

¡Vente, rondaflor, al puente
de la golondrina, amor!

—Buenas tardes, bordadora
del agua-clavel-poniente!

—¡Buenas tardes, rondaflor!   10

¡Vente, rondaflor, al puente
de la golondrina, amor!

—Buenas noches, veladora
del agua-dalia-durmiente!

—¡Buenas noches, rondaflor!   15

—¡Vente, rondaflor, al puente
de la golondrina, amor!

9

LAS 12 [25]

—Las 12, en la aldea.—
¡Sal a tu azotea!

[24] V. 16 ADACont, PC y PA: cantando, de piedra en piedra.
[25] En ADACont, PC y PA: *Las Doce*.

—El ángel las dió.—
¡Sal, que salgo yo!

Tu verde sombrilla,   5
mi negro sombrero,
la flor del romero,
clavada en tu horquilla.

¡Oh, qué maravilla
tan lejana, oh!   10
Cierra tu sombrilla.
¡Sal, que salgo yo!

10

LA OCA Y EL GORRIÓN

(Comentan dos gallinas)

En su casita, la oca.
¡Qué blanca y blanca al balcón!
—¿No sabes? ¡Se ha vuelto loca!
—¿Por quien?
                —¡Por un gorrión!
—¿Por un gorrión? ¡Dios mío! 25 bis   5
—¡Por un simple gorrión!

EL GORRIÓN EN LA RAMA

¡A volar, que aquí hace frío!

11

PREGÓN 26

¡Vendo nubes de colores:
las redondas, coloradas,
para endulzar los calores!

¡Vendo los cirros morados
y rosas, las alboradas,   5
los crepúsculos dorados!

25 bis En PA, espacio entre los v. 4-5.
26 Publ. en *Rev. de Occidente*, jul. 1925 y *Rev. Hisp. Mod.*, ene.
1936.

¡El amarillo lucero,
cogido a la verde rama
del celeste duraznero!

¡Vendo la nieve, la llama   10
y el canto del pregonero!

12

PREGÓN

¡Encended los miradores
y apagad los candilejos
de los zaguanes, que pasa
la luna vendiendo amores
azules, rosas, bermejos!   5

¡Nadie salga de su casa!
¡Salid a los miradores
a comprar amor, que pasa
la luna vendiendo amores!

13

LA FLOR DEL CANDIL

Ya pronto, para el Abril,
verás la flor del candil.

Veremos los candilejos
alumbrar los prados y,
sobre el olivo, a la luna   5
exprimir una aceituna
para encender su candil.

Veremos los candilejos
alumbrar los prados.
          —Di,
¿los candiles son bermejos   10
o son color del añil?

Ya pronto, para el Abril,
verás la flor del candil.

14

LA FLOR DE LOS ZAPATICOS

Hoy vengo buscando yo
los zapaticos del Niño Dios.

Las habas ya están verdes,
la primavera, no;
la aceituna ha caído...   5
¿Cuándo vendrá mi amor?

¡Oh sí, que venga pronto!
Quiero probarle yo
los verdes zapaticos,
verdes, del Niño Dios.   10

¿Adónde van tus cabras?
¡Ay, dímelo, pastor!
¿Van a la fuente rota,
la fuente de mi amor?

¡Dile que venga pronto!   15
Quiero probarle yo
los verdes zapaticos,
verdes, del Niño Dios.

Hoy vengo buscando yo
los zapaticos del Niño Dios.   20

15

A JEAN CASSOU [27]

Llévame, viento andaluz
a casa de Jean Cassou.

[27] Publ. en *Papel de Aleluyas*, n.º 2, ag. 1927. Los v. 1-2, 9-10
y 17-18 no están en cursiva en ADACont, PC y PA.
    Jean Cassou (n. en Bilbao en 1897) es novelista, historiador del
arte, traductor del español (de Cervantes a Unamuno) y poeta. En-
carcelado por la Gestapo por sus actividades de resistencia durante
la ocupación alemana, fue conservador del Museo de arte moderno

Andaluces y franceses
se dan la mano en Sevilla
mientras en la manzanilla   5
yerven las *ges* y las *eses*.
Para a los tontos ingleses
ver bailar el marabú:
arranca, viento andaluz,
de París a Jean Cassou.   10

El inglés, con la morena
que le birla los monises,
en los toros compra anises
y jarabe en la verbena.
Si el Guadalquivir y el Sena   15
se hablan, borrachos, de tú:
llévame, viento andaluz,
a casa de Jean Cassou.

16

NANAS [28]

(A Teresita Guillén)

I

Yo no sé de la niña,
no sé.
Que yo no sé cómo es.

Que no,
que sí,   5
que yo no sé si la vi.

---

en París y en la actualidad es catedrático en la École des Hautes
Études de la Universidad de París. Muy amigo de los escritores
españoles de la generación de 1925, publicó el primer artículo sobre
Alberti en Francia: una reseña de *Marinero en tierra* en el *Mercure
de France* del 15 ene. 1927. Nos contó Jean Cassou que su madre
(doña Milagros, de Cádiz) gustaba mucho de charlar con Alberti;
muchas veces, recordaron juntos coplas, tradiciones e impresiones de
su Andalucía.
[28] En ADACont, PC y PA: *Nana* (seguida de la dedicatoria a
Teresita, hija del poeta Jorge Guillén).

¡Que sí la vi yo!
¡¡Que sí la recuerdo yo!!
¡¡¡Viva!!! [29]

II

¡Al rosal, al rosal   10
la rosa!

¡Luna,
al rosal!

¡A dormir la rosa-niña!

¡Aire,   15
al rosal!

¿Quién ronda la puerta? ¿El cuervo?

¡Pronto,
al rosal!

¡Al rosal la niña-rosa,   20
que el aire y la luna vienen,
mi sueño, a mecer tus hojas!

17

Siempre hay una cabrita
que se equivoca de calle
y tuerce por otra esquina.

Y siempre, de puerta en puerta,
hay un cabrero que va   5
interrogando por ella.

18

Un duro me dio mi madre,
antes de venir al pueblo,

para comprar aceitunas
allá en el olivar viejo.

Y yo me he tirado el duro   5
en cosas que son del viento:
un peine, una redecilla
y un moño de terciopelo.

ESTAMPIDA REAL
DEL VAQUERO Y LA PASTORA [30]
(1925)

ESTRIBILLO DEL VAQUERO

¡Pastora, malva garrida,
baila, mi vida,
que quiere tu buen vaquero,
tu buen vaquero,
que bailes, sí!   5

1.er *Punto*

LA PASTORA

—¡Bailo, amor,
que al alba te vi
yo, mi amor, y te sonreí!

ESTRIBILLO DEL VAQUERO

—¡Pastora, y enamorado,
de mi ganado   10
la vaca más corredora,
más voladora,
vida, te di!

[30] Publ. en LACont, al final del volumen, junto con la *Estampida celeste de la Virgen, el arcángel, el lebrel y el marinero* (véase p. 57), bajo el título *Dos estampidas reales (1925)*. En PC y PA, con el mismo título, después de *La Amante* y antes de *El Alba del Alhelí*.

Rafael Alberti. Dibujo de Attilio Rossi

2.º *Punto*

LA PASTORA

—¡Bien que me la merecí
yo,   15
que al sol que te conocí
mi roja color perdí
yo,
vaquero mío, por ti!

ESTRIBILLO DEL VAQUERO

—¡Pastora, canta, bailemos,   20
baila, cantemos,
que entre la malva del río
y el trébol frío,
brotará, sí!

3.ᵉʳ *Punto*

LA PASTORA

—¡Pronto la veremos,   25
pues nacerá
mañana!
¿Cómo le pondremos
si nacerá
temprana?   30

ESTRIBILLO DEL VAQUERO

—¡Luna de los pastizales,
malva-del-río,
sol de los cañaverales,
trébol-del-frío
y alhelí, sí!   35

4.º *Punto*

LA PASTORA

—¡Ya, mi lindo vaquero,
me sueño yo
paciendo en el romero
mi vaca y yo!

ESTRIBILLO DEL VAQUERO

—¡Dame tu mano, pastora,   40
dámela, vida,
que por los valles, herida,
baja la aurora!
¡Dámela, sí!

5.º *Punto*

LA PASTORA

—¡Tómala, vida,   45
vamos de aquí,
que el trébol. sonrío
—¡malva florida,
sol y alhelí!—,
tú, mi vaquero y yo!   50

ESTRIBILLO DEL VAQUERO

—¡Viva, pastoras, pastores,
viva, vaqueros,
la malva entre los romeros
madrugadores
y el alhelí!   55

Serranía de Rute (Córdoba) 1925-1926 [31]

---

[31] No consta esta indicación en ninguna ed. posterior.

SEGUNDO LIBRO

EL NEGRO ALHELÍ

A José Bergamín
y
Rosario Arniches [32]
(Málaga-Madrid)

LA MAL CRISTIANA

1

¡Cristianita, cristianita,
mal cristiana,
tú, tan bonita!

—¿Yo mal cristiana?

—Sí, ¿dónde estuviste   5
ayer de mañana?
Dí, ¿por qué no fuiste
a misa temprana?

¡Porque te dormiste
bajo mi ventana!   10

—¿Yo, mal cristiana? [32 bis]

2

Porque al mirarte en la pila,
amor, del agua bendita,
te dije ¡Amor!
¿he de confesarme yo?   15

---

[32] La hija del autor dramático Carlos Arniches, Rosario, se casó
con José Bergamín (véase AP, p. 206). Suprimida esta dedicatoria
en las ed. posteriores.
[32 bis] Sin espacio entre los v. 10-11 en ADACont; sin espacio
entre los v. 3-4 y 10-11 en PC y PA.

Porque al rezar en la misa,
amor, el Ave María,
te dije ¡Amor!
¿he de condenarme yo? [33]

3

No creía, no creía   20
en ti, no, Virgen María.

Hasta que en esta mañana,
del silbo de la fontana,
dulce, vi, cómo emergías,
témpano azul, de hortelana.   25

Y, aura del aire, lejana,
sentí que me sonreías
que fuera buena cristiana.

LA MALDECIDA [34]

1

De negro, siempre enlutada,
muerta entre cuatro paredes
y con un velo en la cara.

—¡No pases tú por su puerta,
no pongas el pie en su casa!   5

Naranjos y limoneros,
al alcance, tras las tapias,
sombras frías, de su huerto.

—¡Nunca pongas tú, mis ojos,
en esas ramas tus dedos!   10

33 V. 19 ADACont, PC y PA: ¿he de confesarme yo?
34 Los n.ᵒˢ 1 y 4, en *La Verdad*, 6 jun. 1926.

2

¿Para qué tanto misterio,
ese vivir engañándome,
si todo el mundo lo sabe?

—¿Qué sabe?

—Que tu amiga, más que amiga,   15
mala culebra, es tu amante.

—¡Pero no lo digas!

3

¿Para qué tanta mentira,
ese engañar a tu madre,
si todo el mundo lo sabe?   20

—¿Qué más sabe?

—Que tú, por la puerta falsa,
abres de noche a tu amiga,
que, mal amor, es tu amante.

—¡Pero no lo digas!   25

4

No quiero, no, que te rías,
ni que te pintes de azul los ojos,
ni que te empolves de arroz la cara,
ni que te pongas la blusa verde,
ni que te pongas la falda grana.   30

Que quiero verte muy seria,
que quiero verte siempre muy pálida,
que quiero verte siempre llorando,
que quiero verte siempre enlutada.

5

Porque me robas los ojos   35
y me asesinas los labios,
¡vuélvete lagarto negro
y que te escupan los sapos!

Porque me pisas el pecho,
porque me sorbes la sangre,   40
¡vuélvete culebra roja
o cuervo negro del aire!

Porque toda tú eres clavo,
porque eres martillo y daga,
¡vuélvete cangrejo negro   45
y que te traguen las aguas!

LA ENCERRADA [35]

1

Tu padre
es el que, dicen, te encierra.
Tu madre
es la que guarda la llave.
Ninguno quiere   5
que yo te vea,
que yo te hable,
que yo te diga que estoy
muriéndome por casarme.

2

Sé que montas a caballo...   10
¡Que te dé el sol!
¡Al campo, a caballo, amor!

[35] Sobre la muchacha que inspiró esta serie de canciones y más
tarde *El Adefesio*, véase AP, pp. 189-190 e *Introducción biográfica
y crítica*, p. 31. Publ. en parte en *La Nación*, 3 ene. 1931.

¡Descorre las persianas,
rompe ya las celosías,
que estás muy pálida!   15

¡Que te dé el sol!
¡Al campo, a caballo, amor!

¡Ay, malhayan los morillos
que en esta gloria de España
te han amortajado viva   20
detrás de las persianas!

¡Rompe, amor, las persianas!
abajo, amor, las cortinas,
que estás muy pálida!

¡Que te dé el sol!   25
¡Al campo, a caballo, amor!

3

Una mano, sola una,
por entre los terciopelos,
para regar los claveles.

¿Por qué no quieres   30
que yo te vea la cara?

¿Para qué tanto esconderte
y siempre esa mano sola,
como una mano cortada,
para regar los claveles?   35

¿Por qué no quieres
que yo te vea la cara?

4

Sin que te sienta tu madre,
salte por la puerta falsa
y vente a los olivares.   40

Tu calle va recta al campo.
Escondido, en la cuneta,
te espero con mi caballo.

Te enseñaré los caminos
que van rodando a los mares,   45
amor, si vienes conmigo.

Si vienes, amor, si vienes
sin que lo sepa tu madre,
sin que tu padre se entere.

5

Porque tienes olivares   50
y toros de lidia fieros,
murmuran los ganaderos
que yo no vengo por ti,
que vengo por tus dineros.

6

Todas las piedras del pueblo   55
las traigo en los pies clavadas.

Vengo
de allá arriba, de tu barrio,
de rondar tu calle,
de guardar tu casa.   60

¡Y nadie!
—¿En dónde te escondes tú?—
¡Y nada!

7

Solito, en este escalón,
me paso la noche entera.   65
¡Yo sé que estás prisionera!

De la calle suben sombras,
ya sin habla, la escalera
verde de tu enredadera.

¡Yo sé que estás prisionera   70
y que intentan libertarte
gentes que yo no quisiera! [36]

Por eso, en este escalón,
solito, para guardarte,
me paso la noche entera.   75

8

Lo sabe ya todo el pueblo.

Lo canta el sillero.
Lo aumenta
el barbero.
Lo dice el albardonero.   80
Y el yegüero
lo comenta
en las esquinas con el mulero.
Lo cuenta
el carpintero al sepulturero.   85
¡Lo saben ya hasta los muertos!

¡Y tú sin saberlo!

9

Sonámbulo entré yo anoche
en tu jardín. Nadie había.
¿Nadie?   90
—Sí.

Sobre el limonar lunero,
la luna. Debajo, tú.

[36] V. 70-72 Sin puntos de admiración en ADACont, PC y PA.

¿Sola?
—Sí.   95

    —¿Qué haces tú?
                      —Soñando estoy
un traje para mi boda.
—¿Conmigo?
—No.

                        10

                   (NOCTURNO)

    Deja ese sueño.   100
Envuélvete,
desnuda y blanca, en tu sábana.
Te esperan en el jardín,
tras las tapias.

    Tus padres mueren, dormidos.   105
Deja ese sueño.
Anda.
Tras las tapias,
te esperan con un cuchillo.

    Vuelve deprisa a tu casa.   110
Deja ese sueño.
Anda.
En la alcoba de tus padres
entra, desnuda, en silencio.
Corre deprisa a las tapias.   115
Deja ese sueño.
Sáltalas.
Vente. 37

    ¿Qué rubí yerve en tus manos
y quema, negro, tu sábana?   120
Deja ese sueño.

---

37 Los v. 110-114 y 115-118 forman dos estrofas en ADACont,
PC y PA.

Anda.
...Duérmete.

11

¡Saber que tengo que irme
y que tengo que dejarte   125
solita, aquí, sin morirme! [38]

¡Ay, quién pudiera llevarte!

¿Te quieres venir conmigo?
¡Contigo, a cualquiera parte,
con tal de ser yo tu amigo!   130

¡Ay, quien pudiera llevarte!

¡En esta cárcel metida,
—¡qué lástima!—, prisionera,
ya para toda la vida!

¡Ay, quien llevarte pudiera!   135

¡Adiós, que me voy llorando,
para siempre, de tu vera!

ALGUIEN

1

(MADRUGADA OSCURA)

Alguien barre
y canta
y barre,
—zuecos en la madrugada—
Alguien   5
dispara las puertas.
¡Qué miedo,
madre! [39]

[38] V. 126 ADACont, PC y PA: tan sola aquí, sin morirme!
[39] Espacio entre los v. 1-4, 5-8, 9-11, 12-14, 15-19 en P4, ADACont,
PC y PA; sin espacio entre los v. 23-24.

—¡Ay, los que en andas del viento,
en un barquito, a estas horas,   10
vayan arando los mares!—
Alguien barre
y canta
y barre.

Algún caballo, alejándose,   15
imprime su pie en el eco
de la calle.
¡Qué miedo,
madre!
¡Si alguien llamara a la puerta!   20
¡Si se apareciera padre
con su túnica talar
chorreando!...

    ¡Qué horror,
madre!   25

    Alguien barre
              y canta
                    y barre.

2

Por aquello que al niño
en la frente le hice,
en la sombra no sé
que otra sombra me sigue.   30

3

De arriba, del barrio alto,
vengo por las callejuelas.
Cerrados están los ojos
del pueblo. Todas las puertas
y ventanas tienen clavos.   35
Traigo
desgarrada la chaqueta.

Temblando,
muerto estoy aquí en tu reja.

Te entrego mi mano, y tú,[40]   40
en su palma dura y tierna,
le clavas un alfiler
fino, largo y negro,
de cabeza negra.

4

Dormido, mi luna, estaba,   45
mi vida, dormido y solo,
...Y no veía.

Vinieron, vida, vinieron
los negros quebrantahuesos
y me sacaron los ojos.   50
...Y no veía.

PRISIONERO [41]

1

—Carcelera, toma la llave,
que salga el preso a la calle.

Que vean sus ojos los campos
y, tras los campos, los mares,
el sol, la luna y el aire.   5

Que vean a su dulce amiga,
delgada y descolorida,
sin voz, de tanto llamarle.

[40] Sin espacio entre los v. 39-40 en ADACont, PC y PA.
[41] Hablando de su primera estancia en Rute, escribe Alberti:
"Una de las paredes de mi cuarto, aquella en que apoyaba la
cabeza para dormir, correspondía a una celda de la cárcel. Gritos
y voces comenzaron a entrárseme en el sueño". Añade, unas páginas
más adelante, que fue "sugerida esta serie por aquella celda de la
cárcel que yo sabía detrás de una de las paredes de mi cuarto"
(AP, pp. 181 y 190). Canciones publicadas en *Meseta*, mayo 1928.
Título en ADACont, PC y PA: *El Prisionero*.

Carcelera, toma la llave, [42]
que salga el preso a la calle.   10

2

¡Lo que haría yo,
si saliera al sol!

Si yo al sol saliera,
iría al molino
de la aceitunera.   15

—¿Qué haces tú, molino
de la carretera?
¿Y la molinera?

¡Escóndete, sol,
pues no salgo yo!   20

3

(RUTAS)

Por allí, por allá,
a Castilla se va.
Por allá, por allí,
a mi verde país.

Quiero ir por allí,   25
quiero ir por allá.
A la mar, por allí,
a mi hogar, por allá.

4

(SÚPLICA)

—Ya sube las escaleras,
de verde la primavera. [43]   30

42 V. 9 Suprimido en ADACont, PC y PA.
43 Los v. 29-30, 33-34, 37-38 y 41-43, entre paréntesis en ADACont,
PC y PA.

—¡Niñas, abrid las ventanas!
decidle a la carcelera...

—Ya van aplaudiendo el aire
las palomas mañaneras...—

—¡Palomas de pico blanco,　　　35
decidle a la carcelera...

—La sombra del calabozo
no siente el azul de afuera.—

—¡Arcángeles de las torres,
decidle a la carcelera...　　　　40

—La ventana de la cárcel
es ventanita de yerro,
por donde no pasa el aire.

5

Un corzo blanco que fui...
Entre cadenas de vidrio　　　　45
el sol me amarraba a mí.

Un corzo blanco que soy...
Entre cadenas de yerro
la sombra me amarra hoy.

6

—Oído, mi blando oído,　　　　50
¿qué sientes, pegado al muro?

—La voz del mar, el zumbido
de este calabozo oscuro.

¡Ay primavera en las olas!
¡Barco donde va mi amiga,　　　55
al aire las banderolas,
gimiendo porque la siga!

¡Carcelera,
carcelero,
que está ahí la primavera   60
y es del mar el prisionero!

EL EXTRANJERO

1

Mi lengua natal, ¿de qué
me sirve en tierras extrañas?

—Quiero beber.

(¡Un extranjero! ¿Le abro?
¡Dios, lo que pide no sé!)   5

¡La fuente —¡qué sed!—, sin agua! [44]

—Quiero comer.

(¡Un extranjero! ¡Dios mío!
¿Qué dice? Cierra. —No sé.)

¡No hay de comer en la casa!   10

Lengua mía, ¿para qué
pedir en tierras extrañas?

2

Un extranjero
me quiere a mí.
Yo no le quiero. [45]   15

Yo no, porque considero
que no le voy a entender
cuando me diga, *Te quiero*.

[44] -Sin espacio entre los v. 5-6 y 9-10 en ADACont. PC y PA.
[45] V. 15 P4: Yo no lo quiero.

¡Y a mí gusta saber
cuándo me dicen, *Te quiero*!   20

¡Dí tú que sí!

3

Madre, arrepentida
de que se fuera.
¡Nevaba tanto afuera!

Madre, irá, sin vida,   25
muerto, y con frío.
¡Si se arrojará al río!

Madre, iré, arrecida,
por la ribera
¡Graniza tanto afuera!   30

EL BUEN AMIGO

1

Amigo de las nieves,
ven pronto a mí.

Con tu cayado alpino,
con tu mastín.

Con tu bufanda helada,   5
de vellorí.

Amigo de las nieves,
igual a mí.

Te espero en la llanura,
con mis esquís.   10

Con mi cayado alpino,
con mi mastín.

Con mi bufanda helada,
de vellorí.

Amigo de las nieves,   15
igual a tí.

2

(EL AGUA, LA TIERRA, EL AIRE, EL FUEGO.) [46]

Que de pronto yo me encuentre
sentado junto al amigo.

—¿De dónde vienes,
de la mar o el trigo?—   20

Que junto a él yo me encuentre
mudo, sin saber qué hablarle.

—Dime, ¿en qué piensas,
en la mar o el aire?—

Que cuando ante mí se encuentre,   25
me diga adiós, en silencio.

—¿Adónde marchas,
a la mar o al fuego?

3

Sobre el olivar,
flotando, el amigo   30
que se fue a la mar.

¿Muerto?
—No, muerto, no.
Desnudo y el pecho abierto,
le veo yo.   35

[46] Subtítulo suprimido en ADACont, PC y PA.

—Muchachas que vais a Loja,
sobre el olivar vecino,
veréis, flotando, al amigo.

¿Muerto?
—No, muerto, no.   40
Desnudo y el pecho abierto,
le veo yo.

Sobre el olivar,
sangrando, el amigo
que se fue a la mar.   45

ESTAMPAS

1

EL CIERVO, LA CIERVA Y LA CERVATILLA
(Muerte)

...Y el ciervo, arrodillado,
gimiendo: ¡Vida!

La cierva, por el vado, [47]
llorando: ¡Hija!

La cervatilla, niño,   5
muerta, en la orilla.

2

EL CIERVO MAL HERIDO

(Llanto) [48]

¡Para nada, para nada,
me sirven ya mis alfanjes,
mis picas y mis espadas!

---

[47] Sin espacio entre los v. 2-3 y 4-5 en PC y PA.
[48] En P4, ADACont, PC y PA: *Llanto del ciervo mal herido.*

¡Ay mis espadas floridas   10
de anémonas coloradas!

¡Ay mis alfanjes guerreros,
tintos en moras moradas!

¡Picas mías, coronadas
de limonares luneros!   15

(Voz de la cierva, agonizando) [49]

Sí, monteros... para nada...
me sirven ya... sus alfanjes...
sus picas... y sus espa...das...

3

DESCALZA DE LOS CAMINOS [50]

(Sueño)

Descalza de los caminos, [51]
la encantadora de ranas,
dormida, bajo un olivo.

—Rosa de los mimbrerales,
salí ayer por la mañana,   5
y el sapo negro que tiene
un diamante en la frente,
no quiso saltar .conmigo.

Jazmín de los romerales,
yo salí ayer por la tarde,   10
por ver el sapo que tiene
un diamante en la frente...
No quiso saltar conmigo.

49 En ADACont, PC y PA: 3- *La cierva, agonizando.*
50 En ADACont: *Descalza-de-los-caminos.*
51 V. 1 En ADACont, PC y PA: Descalza-de-los-caminos,

Anémona de los trigos,
yo salí ayer por la noche,   15
y el sapo negro que tiene
un diamante en la frente,
me halló muerta en este olivo.

4

TORRE DE IZNÁJAR [52]

Prisionero en esta torre,
prisionero quedaría.

(Cuatro ventanas al viento)

—¿Quién grita hacia el norte, amiga?
—El río que va revuelto.   5

(Ya tres ventanas al viento)

—¿Quién gime hacia el sur, amiga?
—El aire, que va revuelto. [53]

(Ya dos ventanas al viento)

—¿Quién suspira al este, amiga?   10
—Tú mismo, que vienes muerto.

---

[52] Alberti recuerda su visita a Iznájar (del árabe *Izn*, castillo)
como sigue: "Se trataba de un pueblo más pequeño pero aún más
extraordinario que Rute, empinado en los montes, con un castillo
moro, inmensa muela cariada que levantaba todavía sobre la boca
de un abismo el poder almenado de sus torres [...] Subí a la torre
por una escalera carcomida. Todos sus ajimeces, salvo los cuatro
últimos, estaban cegados. Bajo ellos, se derramaba el paisaje de
un romance de Federico. Sí, era la muerte la que me miraba desde
las cumbres y los valles lejanos. Allí, en la misma torre, escribí
una canción, de secreto dramático parecido al de García Lorca.
¡Como que aquellas eran las tierras duras y funerales de su poesía!
(AP, pp. 191 y 194-195). Al final del acto III de *El Adefesio*,
Altea sube para suicidarse a una torre que recuerda mucho a la
de Iznájar. El personaje de esta pieza es la misma muchacha que
inspirara, muchos años antes, las canciones de *La Encerrada* (pp.
211-215).
[53] V. 8 En P1, P2, P3, P4, ADACont, PC y PA: —El aire, que
va sin sueño.

(Y ya una ventana al viento)

—¿Quién llora al oeste, amiga?
—Yo, que voy muerta a tu entierro.

¡Por nada yo en esta torre   15
prisionero quedaría!

5

EL ALBARDONERO

    ¡Qué triste el albardonero,
cantando, en el escabel,
componiendo un cascabel
para su amigo el yegüero!

    —Se le desbocó la mula...   5
Y muerto quedó en el tronco
del árbol del molinero...
¡Culpa del albardonero!

    La culpa la tiene el tronco
del árbol del molinero...   10
Se le desbocó la mula...
¡Culpa del albardonero!

    ¡Qué triste el albardonero,
cantando, en el escabel,
componiendo un cascabel   15
para su amigo el yegüero!

6

DÍA DE NUBES

    Mis ojos, mis dos amores,
se me han caído a la fuente.
Ya para mí estará ausente
la estrella de los albores.

Los céfiros giradores   5
arrancarán de mi frente
la pajarita inocente,
sin queja, de mis clamores.

Sin ojos, ya mudo, frío,
¿quién se sentará a la vera   10
de mi corazón baldío?

¿Cuál será el ave ligera,
sin rumbo, carabinera,
que quebrante el sueño mío?

7

DÍA DE CAZA

Aldebarán se ha perdido.
¡Buscadle entre los habares!
(De verde, en los olivares,
yace Aldebarán herido.)

Sirio desaparecido.   5
¡Corred pronto a los pinares!
(De plata, en los azahares,
tiembla Sirio guarecido).

¡Calandrias, por las praderas!
¡Luceros, por los vergeles!   10
¡Pastores, por la alquería!

¡Luna de la primavera,
alúmbranos! ¡Mis lebreles,
saltad por la montería!

8

JOSELITO EN SU GLORIA [54]

A Ignacio Sánchez Mejías [55]

Llora, Giraldilla mora,
lágrimas en tu pañuelo.
Mira cómo sube al cielo
la gracia toreadora.

Niño de amaranto y oro,   5
cómo llora tu cuadrilla
y cómo llora Sevilla,
despidiéndote del toro.

Tu río, de tanta pena,
deshoja sus olivares   10
y riega los azahares
de su frente, por la arena.

—Dile adiós, torero mío,
dile adiós a mis veleros

[54] José Gómez Ortega, "Joselito", famosísimo torero, nacido en Gelves (Sevilla) el 8 de mayo de 1895, matado por el toro "Bailador" el 16 de mayo de 1920 en la plaza de Talavera de la Reina. Su muerte provocó por toda España una extraordinaria emoción que Alberti evoca en sus memorias (AP, pp. 142-143). Poesía publ. en *Litoral*, núm. 1, mayo 1968.

[55] Ignacio Sánchez Mejías, nacido en Sevilla en 1891, era el cuñado de Joselito y fue también torero famoso. En 1927, se retiró y fue animador de la compañía de cantos y bailes de "La Argentinita". El año siguiente estrenó en Madrid su pieza *Sinrazón*. Fue muy amigo de Fernando Villalón, J. M. de Cossío, Lorca y Alberti. Estos dos últimos le dedicaron, con motivo de su muerte en la plaza de Manzanares el 11 de agosto de 1934, los conocidos poemas *Llanto fúnebre...* y *Verte y no verte*. Alberti cuenta que Sánchez Mejías, un día de mayo de 1927, le encerró en su habitación de un hotel de Sevilla para obligarle a componer este poema a Joselito, que fue leído por su autor la misma noche en la velada de homenaje al diestro. En junio del mismo año el torero obligó a Alberti a formar parte de su cuadrilla en la plaza de Pontevedra (*Imagen primera de...*, Buenos Aires [1945], p. 63; AP, pp. 245-247 y 279-280).

y adiós a mis marineros,   15
que ya no quiero ser río.

Cuatro arcángeles bajaban
y, abriendo surcos de flores,
al rey de los matadores
en hombros se lo llevaban. [56]   20

—Virgen de la Macarena,
mírame tú cómo vengo,
tan sin sangre, que ya tengo
blanca mi color morena.

Mírame así, chorreado   25
de un borbotón de rubíes
que ciñe de carmesíes
rosas mi talle quebrado.

Ciérrame con tus collares
lo cóncavo de esta herida,   30
¡que se me escapa la vida
por entre los alamares!

¡Virgen del Amor, clavada
lo mismo que un toro el seno!
Pon a tu espadita bueno   35
y dale otra vez su espada.

Que pueda, Virgen, que pueda
volver con sangre a Sevilla
y al frente de mi cuadrilla
lucirme por la Alameda.   40

[56] V. 17-20 Véase la nota 62, p 233. El poeta recuerda haber oído en 1928 estos cuatro versos suyos cantados en una taberna de Triana por un *cantaor* de coplas populares (*L. de V. y la p. cont.*, París [1964], pp. 7-8).

9

SEGUIDILLAS A UNA EXTRANJERA [57]

Todos los torerillos
que hay en Sevilla,
te arrojaron, al verte,
la monterilla.

Dinos cómo te llamas,   5
flor extranjera,
—Entre los andaluces,
la *arrebolera.*

Cinco rejoneadores,
cinco perfiles,   10
clavaron a la gracia
de los toriles.

Gracia negra, de fuego,
tras los percales,
pintándolos de moras   15
de los morales.

¿Por que ocultas la cara
tras la mantilla
y rueda por el ruedo
tu gargantilla?   20

¿Y por qué de la gloria
baja y se eleva,
a caballo, un arcángel
que se la lleva? [58]

Lloran zumo de azándar   25
y de limones,
desgarrados, los flecos
de los mantones.

[57] Publicadas en *Carmen*, n.º 1, dic. 1927 y en la *Rev. portuense*, 17 dic. 1931.
[58] V. 21-24 Véase la nota 62, p. 233.

Y tú, arriba, en los palcos,
crucificada,   30
desangrándote el pecho
con una espada. [59]

Muerta de los caireles,
ven, que de amores
pretenden requerirte   35
los matadores.

¿Cómo te dicen, dinos,
flor cineraria?
—Entre los andaluces
la *pasionaria*.   40

10

EL NIÑO DE LA PALMA [60]

(Chuflillas) [61]

¡Qué revuelo!

[59] V. 29-32 Entre puntos de admiración en *Carmen*.
[60] Cayetano Ordóñez Aguilera, "El Niño de la Palma", nació en
Málaga en 1904. Matador de toros, tomó la alternativa en la plaza
de Sevilla, en junio de 1925, de manos de Belmonte, y un mes
más tarde se la confirmó Luis Freg en la de Madrid. Pero muy
pronto decayó el prestigio que adquiriera al principio de su carrera.
Poesía publ. en *Meseta*, abr. 1928; en *La Nación*, 5 mayo 1929;
Rev. portuense, 26 mayo 1929; *Litoral*, núm. 4, oct.-nov. 1968 y
núms. 21-22, sept. 1971 (facsímile).
[61] "Rafael Alberti, con su poema recién escrito, pero sin el
célebre subtítulo aún, fue en compañía de José María de Cossío
—que es el que nos cuenta ahora esta anécdota— a visitar al Niño
de la Palma. Alberti, después de escribir sus versos al dorso de
una fotografía del torero, comenzó a explicarle a éste el significa-
do del poema. "Como ve usted —decía—, se trata de unos versos
ligeros, juguetones, donde el torero le toma el pelo al toro..."
Cuando el poeta terminó de hablar, Cayetano Ordóñez comentó sen-
tenciosamente: "Vamos, que son unas chuflillas". Y desde aquel
momento Rafael Alberti adoptó esta palabra como subtítulo de su
celebradísimo poema" (R. Montesinos, en la nota 2.ª de su ed. de
Suma taurina [antología de textos de tema taurino] de Alberti,
Barcelona, 1963, p. 121). Chuflilla es diminutivo de *chufla*, andalucismo por *cuchufleta*.

¡Aire, que al toro torillo
la pica el pájaro pillo
que no pone el pie en el suelo!

¡Qué revuelo!   5

Ángeles con cascabeles
arman la marimorena,
plumas nevando en la arena
rubí de los redondeles.
La Virgen de los caireles   10
baja una palma del cielo. [62]

¡Qué revuelo!

—Vengas o no en busca mía,
torillo mala persona,
dos cirios y una corona   15
tendrás en la enfermería.

¡Qué alegría!
¡Cógeme, torillo fiero!
¡Qué salero!

De la gloria, a tus pitones,   20
bajé, gorrión de oro,
a jugar contigo al toro,
no a pedirte explicaciones.
¡A ver si te las compones
y vuelves vivo al chiquero!   25

¡Qué salero!
¡Cógeme, torillo fiero!

62 V. 6-11 En estos versos (así como en los v. 17-20 de *A Joselito en su gloria*, p. 230, y los v. 21-24 de *Seguidillas a una extranjera*, p. 231) ve S. Salinas un recuerdo de éstos del romance
del martirio de santa Catalina, muy popular en Andalucía: "Ya baja
un ángel del cielo / con su corona y su palma: / —¡sube, sube,
sube, Catalina, / que el rey del cielo te llama! (SSM, p. 142).

Alas en las zapatillas,
céfiros en las hombreras,
canario de las barreras,   30
vuelas con las banderillas.
Campanillas
te nacen en las chorreras.

¡Qué salero!
¡Cógeme, torillo fiero!   35

Te digo y te lo repito,
para no comprometerte,
que tenga cuernos la muerte
a mí se me importa un pito.
Da, toro torillo, un grito   40
y, ¡a la gloria en angarillas!

¡Qué salero!
¡Que te arrastran las mulillas!
¡Cógeme, torillo fiero!

Serranía de Rute (Córdoba) 1925-1926
y Sevilla-Madrid, 1927. [63]

---

[63] Esta indicación no figura en las ed. posteriores.

TERCER LIBRO

EL VERDE ALHELÍ

A Emilio Prados
y
A Manuel Altolaguirre [64]
(Málaga)

PLAYERAS

1

MALA RÁFAGA [65]

Boyeros del mar decían:

Bueyes rojos, raudas sombras, [66]
ya oscuro, ¿hacia dónde irían?

—¡Fuego en la noche del mar!—

Carabineros del viento   5
tampoco, no, lo sabían: [67]

¿A dónde esos bueyes rojos,
raudas sombras, volarían?

—¡Ardiendo está todo el mar!—

---

[64] Dedicatoria suprimida en las ed. posteriores. Sobre el primer encuentro en Málaga de Alberti con Prados y Altolaguirre, editores de la revista *Litoral* y de sus suplementos (el segundo será *La Amante*), véanse AP, pp. 236-238 y *Noticia biográfica y crítica*, pp. 39-40.
[65] Sin título en *La Nación*, 16 oct. 1932. Pasa a MET en Pl y ed. siguientes.
[66] En Pl y ed. posteriores, sin espacio entre los v. 1-2 y 6-7.
[67] V. 6. METCont 57 y 66: tampoco, no lo sabían; PC, METBN y PA: tampoco no lo sabían.

2 [68]

A la sombra de una barca,
fuera de la mar, dormido.

Descalzo y el torso al aire.
Los hombros, contra la arena.

Y contra la arena, el sueño,   5
a la sombra de una barca
fuera de la mar, sin remos.

3

La enterré de medio cuerpo,
frente al mar.

Y al albedrío del viento,
le dejé la voz y el pecho.

Triste, se puso a cantar.   5

—Me han partidito mi cuerpo, [69]
frente al mar. [70]

4

CARMELILLA

Bailar
en la mar
y remar.

¡Es la mar!

[68] Publ. en *La Nación*, 16 oct. 1932 y en *Litoral*, n.os 15-16,
nov. 1970. Incluido en MET en P1 y ed. siguientes.
[69] Sin espacio entre los v. 5-6 en PC.
[70] V. 6-7 ADACont y PC: —¿Quién me ha partido mi cuerpo,
/ frente al mar?

Firma autógrafa de Rafael Alberti

De San Fernando a Sevilla,   5
remando,
se fue Carmelilla.

¡Y yo bailando!

De Sevilla a San Fernando,
bailando,   10
volvió Carmelilla.

¡Y yo remando!

Bailar
y remar
en la mar.   15

¡Es la mar!

5

MADRIGAL CHICO DE LA
NOCHE Y EL DÍA

A Carmela [71]

Coronados de alfileres
dos noches en barcas negras,
tus ojos, cuando los mueves.

¡Cierra los ojos, Carmela!

Por escalillas de nieve   5
la noche, a tu cabellera
de tulipán negro, viene.

¡Abre los ojos, Carmela!

(Copla Biográfica

---

[71] Sin dedicatoria en ADACont, PC y PA; en PC y PA, esta poesía forma parte de la anterior, *Carmelilla*.

De Málaga, Carmelilla.
Diez y seis años. Morena.   10
Hoy, en el mar de Castilla,
sólo de viento y arena.)

6

GRUMETE [72]

¡No pruebes tú los licores!
¡Tú no bebas!

¡Marineros bebedores,
los de las obras del Puerto, [73]
que él no beba!   5

¡Que él no beba, pescadores!

¡Siempre sus ojos despiertos,
siempre sus labios abiertos [74]
a la mar, no a los licores!

¡Que él no beba!   10

7 [75]

Sol negro.

De una mar, de una mar muerta,
la empujó un mal viento.

Carabela negra,
cargada, hundida de huesos.   5

Mar negro.

[72] Pasa a MET en Pl y ed. posteriores. Sin título en METCont, METP, PC y PA.
[73] V. 4 En todas las ed. posteriores: los de las obras del puerto (Véase la nota 113 de MET, p. 120).
[74] V. 7-8 En todas las ed. posteriores: ¡Siempre sus ojos abiertos, / siempre sus labios despiertos
[75] Pasa a MET en Pl y ed. posteriores.

8 [76]

Barco carbonero,
negro el marinero.

Negra, en el viento, la vela,
negra, por el mar, la estela.

¡Qué negro su navegar!   5

La sirena no le quiere.
El pez espada le hiere...

¡Negra su vida en la mar!

9 [77]

Ojos tristes, por la banda
de babor... ¿Adónde irán?

—¿Adónde van,
Capitán?

Ojos tristes, que verán   5
las costas que otros no vean...

—Sin rumbo van.
...Mis ojos tristes, sin rumbo...

10 [78]

¡Por el mar la Primavera!
¡A bordo va!

—¿De qué barco, compañero?
—Del Florinda, compañera.

[76] Pasa a MET en P1 y ed. posteriores.
[77] Pasa a MET en P1 y ed. posteriores.
[78] Publ. en *La Nación*, 16 oct. 1932. Pasa a MET en P1 y
ed. posteriores; no figura en METP.

¡A bordo va!   5
Llega.

¡Pronto, a la escala real,
por verla desembarcar! [79]

¡Va! [80]

11 [81]

En las bodegas del buque,
muerto y solo.

¿Quién será? ¿Qué nombre el suyo,
marineros?

¡A su tumba, cueva abierta   5
de los mares!

Noroeste. Noche fría... [82]

12 [83]

Castillito, ¡quién le fuera!

¡Castillito de la pólvora;
lejos, allá en la bahía
de mi infancia marinera!

¡Castillito de San Telmo,   5
cerca, en el mar de Almería!

[79] Sin espacio entre los v. 6-7 en P1.
[80] V. 9 P1, P2, P3, P4, PC y PA: ¡Ya!; suprimido (¿u omiti-
do?) en METS, METCont y METBN.
[81] Publ. en La Nación, 16 oct. 1932. Pasa a MET en P1 y
ed. posteriores. En METCont, METP, PC y PA, con el título:
Grumete.
[82] V. 7 Sin puntos suspensivos en las ed. posteriores.
[83] Suprimido en todas las ed. posteriores. El castillo de la Pólvora
(v. 2) es un fuerte de la bahía de Cádiz, cerca de Puerto de Santa
María; el castillo de San Telmo se encuentra en la costa de Almería.

13

Esta noche, a Cartagena,
si hace luna, con mi amor.

Luna de la playa,
luna de la arena,
luna de las mares llena,   5
esta noche, por ti, mi vapor,
esta noche, por ti, a Cartagena.

14

¡Contar un cuento en la barca!
—Rema, remador—
                        ¡Quería
contar un cuento en la barca,
tan fiera la mar, tan fría! [84]

—Remador, cía.   5

¡El remador no quería!

15

LA VIRGEN DEL MAR [85]

¡Chiquillos, los de Agua-dulce!
¡Playerillas, un cantar!

—¡De levante, por allá!
viento de cabo de Gata
trajo a la Virgen del mar   5
morena y de plata.

[84] V. 4 ADACont, PC y PA: tan turbia la mar, tan fría. Los
v. 2-4 y 6, sin puntos de admiración en ADACont. PC y PA.
[85] Publ. sin título en *La Nación*, 16 oct. 1932. La Virgen del
Mar es la patrona de Almería (feria: 18 de julio); aquí, Aguadulce
es un pueblo de los Campos de Dalía, en la costa almeriense, y
no el de mismo nombre situado entre Osuna y Estepa.

¡De levante, por allá!
Viento la dejó en la arena,
viento que volvió a la mar
   de plata y morena.   10

16

DE VERDE EN VERDE

Por un platanico verde,
gaviota al platanar.

—No es verdad.

El plátano, verde,
y verdes las olicas de la mar.   5

Es verdad.

Y luego, al viñedo verde,
por un racimico albar.

—No es verdad.

El viñedo, verde,   10
y verdes las olicas de la mar.

—Es verdad.

¿Y luego...?

   ¡A las olicas verdes de la mar!

17 [86]

¡Quién cabalgara el caballo
de espuma azul de la mar!

De un salto
¡quién cabalgara la mar!

[86] Incluido en MET en Pl y ed. posteriores.

¡Viento, arráncame la ropa!   5
¡Tírala, viento, a la mar!

De un salto,
quiero cabalgar la mar.

¡Amárrame a los cabellos, [87]
crin de los vientos del mar!   10

De un salto,
quiero ganarme la mar.

18

EL MARINERO OLVIDADO

Grita, llora el marinero
¡mi cañonero!

Me quedé solo en la tierra,
pues que se partió a la guerra [88]
mi compañero.   5

¡Mi cañonero!
¡El más garrido, el primero!

19 [89]

Colgadura, no muralla,
pone a tu calle la mar.

Sal.

Una ciudad marinera
quiere a tu casa arribar.   5

Sal.

Dí que no, con tu bandera.

87 V. 10 METS, METCont, PC, METBN y PA: ¡Amárrame a
tus cabellos,
88 V. 4 ADACont, PC y PA: pues se me marchó a la guerra
89 Incluido en MET en P1 y ed. posteriores, excepto METP.

20

Sin ecos y sin banderas,
mi lindo barco.

Con su sombra en agonía
mi lindo barco.

Pena por los mares muertos   5
mi lindo barco.

Capitán triste en la proa,
mi mastín blanco.

21

Llora, marinera,
tu mejor llorar.

—¡Barca mía carbonera,
siempre ennegreciendo el mar!

22 [90]

Murallas azules, olas,
del África, van y vienen.

Cuando van...
¡Ay, quién con ellas se fuera!

¡Ay, quién con ellas volviera!   5
cuando vuelven...

23

¡Qué bandolero
el viento marero!

[90] Pasa a MET en P1 y ed. posteriores.

Se ha llevado al mar, volando, [91]
la ropa del tendedero.

Y en esta barca, bogando,   5
ando por la mar buscando
la ropa del marinero.

¡Qué bandolero
—¡sin ropa tú, marinero!—
el viento marero!   10

24 [92]

Retorcedme sobre el mar,
al sol, como si mi cuerpo
fuera el girón de una vela.

Exprimid toda mi sangre.
Tended a secar mi vida   5
sobre las jarcias del muelle.

Seco, arrojadme a las aguas,
con una piedra en el cuello
para que nunca más flote.

Le dí mi sangre a los mares.   10
¡Barcos, navegad por ellos! [93]
—Debajo estoy yo, tranquilo. [94]

25 [95]

Barcos extranjeros, hija,
barcos extranjeros.

[91] Sin espacio entre los v. 2 y 3 en ADACont, PC y PA.
[92] Publ. en *La Nación*, 16 oct. 1932. Incluido en MET en Pl y ed. posteriores.
[93] V. 11 Pl, P2, P3, P4, METS, METCont, METP, PC, METBN y PA: ¡Barcos, navegad por ella!
[94] V. 12 En Pl, P2, P3, P4, METS, METCont. METP, PC, METBN y PA, sin guión al principio.
[95] Publ. en *La Nación*, 16 oct. 1932.

Barcos extranjeros
anclan en el puerto.

Anclan en el puerto, hija,   5
con sus marineros.

Con sus marineros, hija...
¡Pronto, corre a verlos!

26

El sol, en las dunas.
La arena, caliente.
Busco por la playa
una concha verde.

La luna, en las olas.   5
La arena, mojada.
Busco por la orilla
una concha grana.

27

Ese barco que va y viene,
con la luna.

¡Qué caminito de aroma, [96]
cada vez que va y que viene
con la luna!   5

—Cara de luna, ¿qué lleva,
cada vez que va y que viene
con la luna?

—Macetitas de claveles
y azucenas. [97]   10

---

[96] V. 3 ADACont, PC y PA: ¡Cuánto sendero de aroma,
[97] V. 9-10 ADACont, PC y PA: —Jardinillos de claveles / y azucenas, con la luna.

28

FUGA

Descalcicá, por las piedras.

¡Sangrando va!
Yo, detrás,

Chinas que eran blancas, chinas
coloradicas son ya.   5

¡Que se fue!
¡Sangrando va!
¿Dónde ya?

¡Coloradico está el mar!

29 [98]

Las casetas de la playa,
de azul y blanco, María.

Celeste, tu bañador.
¡Desnúdate al cielo, amor!

El aire no lo quería.   5

30 [99]

—No, no, no,
al alba, no.

¿Y al mediodía, dí?

—Sí, sí, sí,
al mediodía, sí.   5

---

[98] Suprimido en todas las ed. posteriores.
[99] Suprimido en todas las ed. posteriores.

31 [100]

¡Sabedlo!

La banda de mis desvelos
le estoy yo al aire bordando,
para que prenda a los cielos
la isla de San Fernando.   5

¡Sí, sabedlo!

32

¡Mariposas de la mar!

¡Por los bosques de corales,
por las selvas de las algas,
novia mía, persiguiendo,
tú conmigo,   5
mariposas de la mar!

33

LA MARINERA, EL PASTOR,
EL MARINERO Y LA PASTORA

—Pastor madruguero,
¡tu blanco cordero,
pronto, que me muero!

—Que no,
mi cordero, no.   5
¡Yo, tu boca, marinera,
tus ojos, tu vida yo!

—No, que no.

—Pastora playera,
¡tu blanca cordera,   10
antes que me muera!

100 Suprimido en todas las ed. posteriores.

—Que no,
mi cordera, no.
¡Marinero, tu bandera,
tu sangre, tu vida yo!   15

—No, que no.

34

Por nadie me cambio yo,
sabiendo que allá en el mar,
que allá en el fondo del mar
me aguardas tú.

Por nadie te cambies tú,   5
sabiendo que allá en la tierra,
que allá clavado en la tierra
te aguardo yo.

35

LA LEONA [101]

1

Cantando a la puerta, tú,
labrando redes de plata.
—Tu marido, ¿dónde está?

—¡En la mar! [102]
¡mi marido está en la mar!   5

—¿Volverá?

—¡Quién sabe si volverá! [103]

[101] En ADACont, PC y PA, siguen a estas dos canciones las de
mismo título, núms. 45 y 46 en la 1.ª ed.
[102] V. 4, 5 y 11 ADACont, PC y PA: ... en el mar
[103] Sin espacio entre los v. 6-7 en ADACont, PC y PA.

36

2

Llorando a la puerta, tú,
labrando redes de luto.
—Tu marido, ¿dónde está?   10

—¡En la mar!

—¿Volverá?

—¡No volverá! [104]

37

LA VACA LABRADORA [105]

(Llanto de la remera)

1

Remando, la remadora,
gimiendo va por la ría:

—¡Mi vaca, la Labradora,
la vaca que más quería,
por ser pirata, pastora,   5
voló sobre una almadía! [106]

38

2

—¡Grumete, mi buen grumete,
aprendiz de marinero,
súbete al palo trinquete,
mi niño, de tu velero!   10

¡Y explora la mar, y explora
el fondo de la bahía,
que anoche mi Labradora,
la vaca que más quería,
por ser pirata, pastora,   15
voló sobre una almadía!

104 V. 12-13 PC: —¡No volverá! / —¿Volverá? Sin espacio entre
los v. 12-13 en ADACont, PC y PA.
105 Publ. en *Meseta*, n.º 5, mayo 1928.
106 V. 3-6 En ADACont, PC y PA, sin puntos de admiración.

39

3

—¡Torrero, torrero mío,
alargue, verde, su espada
tu faro, por el umbrío
desierto de la oleada!   20

¡Que adentre tu remadora
sus ojos por la mar fría,
que anoche la Labradora,
la vaca que más quería,
por ser pirata, pastora,   25
voló sobre una almadía!

40

LA SIRENILLA CRISTIANA [107]

(*A María Vallejo*)

1

Teniendo voz de mujer
y colita de pescado, [108]
y viéndote siempre a nado,
sola, por la mar zafira,
¿quién querrá hacerme a mi ver   5
que estoy viviendo engañado
no creyéndote mentira?

41

2

...aaaaa!
¡De los naranjos del mar!

---

[107] La dedicatoria, sólo en la primera ed. El n.º 2 (v. 8-15)
pasó a MET en Pl y ed. posteriores bajo el título *La Sirenilla
cristiana*.
[108] V. 2 ADACont, PC y PA: y cola azul de pescado,

La sirenilla cristiana,   10
gritando su pregonar
de tarde, noche y mañana.

...aaaaa!
¡De los naranjos del mar!

42

3

¡Confesar!   15

¡Que anoche robé un lucero, [108 bis]
para ti, que cayó al mar!

¡No me quiero condenar!

¡Busca al cura, marinero!

43

4

Huye por la mar y llora.   20
¡Sálvala, Nuestra Señora!

¡Que un marinerillo inglés
la sigue desde la aurora! [109]
¡Sálvala, Nuestra Señora!

¡Que te alcanzan, novia mía!   25
¡Sálvala, Virgen María!

44

5

Capaz soy yo de matarme.

Si en vida no puedo verte
quizá después de la muerte [109 bis]
pueda contigo casarme.   30

[108 bis] Sin espacio entre los v. 15-16 en ADACont, PC y PA.
[109] Los v. 22-23, sin puntos de admiración en ADACont, PC y PA.
[109 bis] V. 29 ADACont, PC y PA: quizás después de la muerte

Capaz soy yo de matarme,
sirenilla, por tenerte.

45

LA LEONA [110]

1

—Leona, mira la mar.
Hoy tiene las greñas negras.
la baba verde, amarilla.

¿Qué piensas?

Ausente, de cara al viento,   5
fríos los ojos,
vuelta la cabeza.

46

2

¿Quién te lo llevó, Leona?

¿Qué esperas?

Salta la mar como un toro   10
muerto de un golpe
sobre las arenas. [111]

47

(Mito) [112]

¡Jee, compañero, jee, jee!

¡Un toro azul por el agua!
¡Ya apenas si se le ve!

[110] Véase *supra*, la nota 101. En ADACont, PC y PA, los versos
están agrupados como sigue: 1-3, 4-7, 8-9, 10-12.
[111] Los v. 10-12 forman sólo dos en ADACont, PC y PA: Como
un toro, salta el mar / muerto de un golpe en la arena.
[112] Incluido en MET sin título en P1 y ed. posteriores, repartidos
los versos en dos grupos: v. 1-3 y 4-5.

—¿Quééé?

—¡Un toro por el mar, jee!   5

48

Aquellos ojos que vi,
¿dónde están,
que ya no los veo?
¿Dónde los vi?

Tiraban de aquellos ojos   5
las cuerdas de los cabellos
que me amarraban a mí.

Las cuerdas de los cabellos,
¿dónde están
que ya no las veo?   10
¿Dónde las vi?

49

Una coplilla morena
me hiere.

Con sus ojitos me hiere. [113]

¿Quién me cura las heridas?
¡Que mi corazón se muere!   5

Dos ojitos le hieren,
dos ojitos,
como puntas de alfileres.

50

Abajo, con su chivillo,
el pastor de costa brava,
cantando alto.

[113] En ADACont, PC y PA, sin espacio entre los v. 2 y 3.

—Si el mar lo quisiera,
él no se lo diera.   5
Pero no lo quiere el mar
y él se lo da. —

Arriba, sin su chivillo,
el pastor de costa brava,
llorando bajo.   10

51 [114]

—¿Qué piensas tú junto al río,
junto al mar que entra en el río? [115]

—Aquellas torres tan altas,
no sé si torres de iglesia
son, o torres de navío.   5

—Torres, vida, de navío. [116]

52

(Clara de luna) [117]

Despierta la mar, velando.
San Telmo, velando, arriba.
Yo, por la rada, remando.
Y el viento de la bahía,
sin sombra, silabeando.   5

53

DESPEDIDA

¡Quién pensara, quién dijera
lo que tú!

[114] Pasa a MET en Pl, P2, P3, P4, METS, METCont, PC,
METBN y PA; no figura en METP.
[115] V. 2 Pl, P2, P3, P4, METS, METCont, PC, METBN y PA:
junto al mar que entra en tu río?
[116] V. 6 Pl, P2, P3, P4, METS, METCont, PC, METBN y PA:
—Torres altas de navío.
[117] Pasa a MET en todas las ed. posteriores.

—Hartita estoy de morir,
en la mar, de marinera. [118]
¡Quién de las mares partiera   5
y al campo fuera a vivir!

Lo que tú, ¡quién lo dijera...
sin partir!

ESTAMPIDA CELESTE
DE LA VIRGEN, EL ARCÁNGEL,
EL LEBREL Y EL MARINERO [119]
(1925)

ESTRIBILLO DEL ARCÁNGEL

—¡Virgen del mar, matutina,
faro de los albos huertos,
cristal de roca marina,
dalia de los mares muertos!
¡Mira al peregrino   5
que asciende a ti de la mar,
sin voz, sin luz, sin Polar,
sobre un lebrel submarino!

1.er Punto

LA VIRGEN

—Dime tú, ¿quién eres?
dime tú, ¿qué quieres   10
en la gloria tú?
di, ¿de dónde arribas tú?

ESTRIBILLO DEL LEBREL Y EL MARINERO

—De los desiertos glaciares
vengo hasta ti, Marinera,

---

[118] V. 3-4 ADACont, PC y PA: —¡Tan harta ya de morir, / en
la mar, de marinera!
[119] Publ. en *La Verdad*, 4 jul. 1926. Véase *supra*, la nota 30.

sobre el lebrel de los mares,   15
mi lebrel, Rosa artillera.
Y yo soy marinero [120]
y quiero, con mi lebrel
que me nombres timonel,
al sol, de tu cañonero.   20

2.º Punto

LA VIRGEN

—No, tu lebrel,
marinero, [121]
tu lebrel, no.
Tú, sí, solo, timonel
marinero.   25
Tu lebrel, no.

ESTRIBILLO DEL ARCÁNGEL

—La Virgen del mar quisiera
que el barco de la Alegría,
tuviera solo por guía,
sin tu lebrel, tu bandera.   30
No, mi marinero,
no llores tú porque no
quiera la Virgen que yo
ruegue por tu compañero.

3.ᵉʳ Punto

LA VIRGEN

—Tú no lo sabías,   35
que tú no lo sabías,
marinerito.
Y de las algas umbrías,
con tu lebrel de la mar,

[120] V. 17 *La Verdad*, LACont, PC y PA: Yo soy marinero
[121] Los v. 21-22 forman uno solo en *La Verdad*.

llegaste al pie de mi altar,   40
marinerito,
tú, que no sabías
que tú no lo sabías.

ESTRIBILLO DEL LEBREL Y EL MARINERO

  —¡Déjame, Dalia artillera,
vivir con el perro mío,   45
si en tu lancha cañonera
no, en algún viejo navío!
¡Déjame, Señora,
déjame con mi lebrel
y siempre irá tu bajel   50
con rumbo abierto a la aurora!

4.º Punto

LA VIRGEN

  —Ven,
toma la estrella Polar.
Ven,
toma la cinta del viento.   55
y, para tu perro, ten
la banda azul de la mar
bordada en el firmamento.

ESTRIBILLO DEL ARCÁNGEL

  —¡Pronto, a remar, a los remos
mis ángeles remadores!   60
¡Las banderas arbolemos!
¡A las redes, pescadores!
Y tú marinero,
mientras ladra tu lebrel,
sé el más bravo timonel   65
del celeste cañonero. [122]

Almería 1926 [123]

122 V. 66 *La Verdad*: del Celeste Cañonero.
123 No figura esta indicación en las ed. posteriores.

¡EL TONTO DE RAFAEL!

(Autorretrato) [124]

Por las calles: ¿Quién aquél?
—¡El tonto de Rafael! [125]

Tonto llovido del cielo,
¡del limbo!, sin un ochavo. [126]
Mal pollito colipavo,   5
sin plumas, digo, sin pelo.
¡Pío-pic!, pica, y al vuelo
picos le pican a él. [127]

—¿Quién aquél?
—¡El tonto de Rafael! [128]   10

Tan campante, sin carrera,
no imperial, sí tomatero.
Grillo tomatero, pero [129]
sin tomate en la grillera.
Canario de la fresquera,   15
no de alcoba o mirabel.

—¿Quién aquél?
—¡El tonto de Rafael!

Tontaina, tonto del higo,
rodando por las esquinas   20

[124] Reproducimos el texto tal como fue publicado por primera vez (en *Lola*, abr. 1928). En P1 y ed. posteriores, el título es: *El tonto de Rafael / (Autorretrato burlesco)*. En P3 y P4, sin espacio entre los v. 2-3, 8-9, 10-11, 16-17, 18-19, 24-25, 26-27 y 32-33.
[125] V. 1-2 En P1 y ed. posteriores: Por las calles, ¿quién aquél? / ¡El tonto de Rafael!
[126] V. 4 Sin puntos de admiración en P1 y ed. posteriores.
[127] V. 8 En P1 y ed. posteriores: todos le pican a él.
[128] En P1 y ed. posteriores, sin guión al principio de los v. 9, 10, 17, 18, 25 y 26.
[129] V. 12-13 En P1 y ed. posteriores: no imperial, sí tomatero, / grillo tomatero, pero

bolas, bolindres, pamplinas
y pimientos que no digo.
Mas nunca falta un amigo
que le mendigue un clavel.

—¿Quién aquél?   25
—¡El tonto de Rafael!

Patos con gafas, en fila,
lo raptarán tontamente
en la berlina inconsciente
de San Jinojito el lila. [130]   30
¿Qué run-rún, qué retahila
sube el cretino eco fiel?

¡Oh, oh! ¡Pero si es aquél [131]
el tonto de Rafael!

[130] M. de Toro y Gisbert, citando a Rodríguez Marín: "San Jinojo, santo ridículo de invención popular: Estar como San Jinojo en el cielo" (*Voces andaluzas...*, en *Rev. Hispanique*, t. XLIX, 1920, p. 482).
[131] V. 33 en Pl y ed. posteriores: ¡oh, oh, pero si es aquél

APÉNDICE PRIMERO

Reproducimos a continuación dos fragmentos de poesías de Rafael Alberti citadas por él en AP, y una corta canción (contenida en una carta a Emilio Prados, fechada en Rute, 5 dic. 1925) que no figuran en los *Poemas anteriores a "Marinero en tierra"* publicados por el poeta en 1969 y 1972 (véase nuestra *Noticia bibliográfica*).

I [1]

[...........................]
tu cuerpo
largo y abultado
como las estatuas del Renacimiento
y unas flores mustias
de blancor enfermo   5
[...........................]

---

[1] Acabada la noche del velatorio de su padre, muerto en marzo de 1920, Rafael Alberti se quedó con su madre en la alcoba. Cuenta en sus memorias, antes de citar estos cinco versos, únicos que recuerda: "Yo entonces no lloraba, y menos delante de otros ojos que no fueran los míos. Veía sólo en el llanto la cara horrible de la gente, y el pensar en la mía mojada por lágrimas me llenaba de irritación y vergüenza. Pero algo había que hacer, alguna prueba de dolor tenía que dar en aquel trance. El clavo oscuro que parecía pasarme las paredes del pecho me lo ordenaba, me lo estaba exigiendo a desgarrones. Entonces, saqué un lápiz y comencé a escribir. Era, realmente, mi primer poema" (AP, p. 141).

II [2]

"Más bajo, más bajo".
No turbéis el silencio
de un ritmo incomparable,
lento,
muy lento,   5
es el ritmo
de esta luna de oro.
El sol ha muerto.
Y hasta las alegrías son tristezas,
pero del mismo ritmo: 10
lento, muy lento.

[............................]

III

CANCIÓN PARA EMILIO [3]

Amigo, yo aquí en la sierra,
siempre pensando en el mar.
¡Y tú, mi amigo, en el mar!

Si yo busco el mar: ¡la tierra!
Si buscas tú el mar: ¡la mar!   5

Y, amigo, yo aquí en sierra
pensando siempre en el mar.

[2] Principio de un poema escrito poco después del anterior, y
"surgido entre dos luces, en un ocaso de primavera" (AP, pp.
141-142). El primer verso, entre comillas, está tomado, según dice
Alberti, de una poesía de León Felipe en *Versos y oraciones
del caminante* (Madrid, 1920).
[3] Publicada en *Litoral*, n.º 3, ag.-sept. 1968 (Véase *Noticia bibliográfica*).

APÉNDICE SEGUNDO

1

CONTENIDO DE CADA UNA DE LAS EDICIONES DE **MARINERO EN TIERRA**

(Véase Nota Previa e Índice de Siglas)

CONTENIDO DE LA PRIMERA EDICIÓN	P1 y P2	METS	P3 y P4 METCont. PC y PA	METP	METBN
PRIMERA PARTE					
Sueño del marinero		[Prólogo]	Prólogo		Prólogo
Sonetos alejandrinos					
A Juan Antonio Espinosa, capitán de navío	MET II, 1	I, 1	I, 1	Sin núm., pág. 14	II 1
A Claudio de la Torre, de las Islas Canarias			I, 2	Sin núm., pág. 16	II, 2
A Gregorio Prieto y Rafael Alberti			I, 3		II, 3
Sonetos					
A Federico García Lorca, poeta de Granada					
1 — (Otoño)			I, 4 (1)		II, 4 (1)
2 — (Invierno)	MET II, 2	I, 8	I, 4 (3)		II, 4 (3)
3 — (Primavera)			I, 4 (2)		II, 4 (2)
Alba de noche oscura		I, 3	I, 6		II, 6
Santoral agreste	MET II, 3	I, 2	I, 5		II, 5

APÉNDICE SEGUNDO

1

CONTENIDO DE CADA UNA DE LAS EDICIONES DE MARINERO EN TIERRA

(Véase Nota Previa e Índice de Siglas)

Tres poemas sueltos

Dialoguillo de otoño	MET III, 8	II, 24	MET III, 9		II, 28	III, 28
De 2 a 3	MET III, 11	II, 28	MET III, 12		II, 27	III, 27
Madrigal dramático de Ardiente-y-fría					II, 32	III, 32

Atlas

Geografía física	MET III, 12	II, 25	MET III, 13	núm. 22	II, 29	III, 29
Viajeros		II, 26		núm. 45	II, 30	III, 30
De la Habana ha venido un barco...		II, 29		núm. 27	II, 33	III, 31
Elegía ("La niña rosa, sentada")	MET III, 13	II, 27	MET III, 14		II, 31	I, 12
"¡Dejadme pintar de azul!"					III, 12	I, 13
"¡A los islotes del cielo!"				núm. 13	III, 13	I, 11
"¡Sal desnuda y negra, sal!"		III, 11		núm. 9	III, 11	I, 10
Cruz de viento		III, 10			III, 10	
Mapa mudo *						

SEGUNDA PARTE

Marinero en tierra

Carta de Juan Ramón Jiménez	al principio, antes de MET I	al principio de MET III

1

	MET I	III	MET I	III	núm.	I
Prólogo ("Entraña de estos cantares")	MET I, 1	III, [Prólogo]	MET I, 1	III, [Prólogo]	núm. 1	I, [Prólogo]
"El mar. La mar"	MET I, 2	III, 1	MET I, 2	III, 1	núm. 2	I, 1
"Gimiendo por ver el mar"	MET I, 3	III, 2	MET I, 3	III, 2	núm. 3	I, 2
Salinero		III, 3		III, 3	núm. 11	I, 3
Llamada	MET I, 4	III, 4	MET I, 4	III, 4	núm. 5	I, 4
"Branquias quisiera tener"		III, 5		III, 5	núm. 6	I, 5
Nana ("Mar, aunque soy hijo tuyo")	MET I, 24	III, 6	MET I, 24	III, 6	núm. 7	I, 6
Con él ("Zarparé, al alba, del Puerto")	MET I, 5	III, 7	MET I, 5	III, 7	núm. 4	I, 7
Pregón submarino		III, 8		III, 8		I, 8
Chinita		III, 9		III, 9		I, 9
"Siempre que sueño las playas"				III, 21	núm. 19	I, 21
"¡Qué altos"	MET I, 6	III, 13	MET I, 6	III, 15	núm. 8	I, 15
El mar muerto						
1 — "Mañanita fría"		III, 12 (1)		III, 14 (1)	núm. 14 (1)	I, 14 (1)
2 — "No sabe que ha muerto el mar"		III, 12 (2)		III, 14 (2)	núm. 14 (2)	I, 14 (2)
"Cuándo llegará el verano?"		III, 14		III, 18	núm. 16	I, 18
Casadita		III, 15		III, 16	núm. 15	I, 16
Pirata	MET I, 8	III, 16	MET I, 8	III, 17	núm. 17	I, 17
Sueño ("Abajo, en lo más profundo") *		III, 17		III, 30		I, 30
Elegía del niño marinero	MET I, 23	III, 18	MET I, 23	III, 19	núm. 18	I, 19
Desde alta mar	MET I, 10		MET I, 10	III, 20	núm. 20	I, 20
Elegía ("Yo te hablaba con banderas")						
Medianoche *						
(Verano)				III, 22		I, 22
Dime que sí				III, 37	núm. 37	I, 37

APÉNDICE SEGUNDO

1

CONTENIDO DE CADA UNA DE LAS EDICIONES DE MARINERO EN TIERRA

(Véase Nota Previa e Índice de Siglas)

	MET	III	III	núm.	I
"Del barco que yo tuviera"			III, 43		I, 43
Elegía del cometa Halley		III, 19	III, 23		I, 23
"Nací para ser marino"		III, 28	III, 33	núm. 33	I, 33

2

	MET	III	III	núm.	I
Triduo de alba...					
1 — Día de coronación		Sin núm., entre III, 28 y III, 29	Sin núm., entre III, 33 y III, 34		Sin núm., entre I, 33 y I, 34
2 — Día de amor y de bonanza					
3 — Día de tribulación					

3

	MET	III	III	núm.	I
Ilusión	MET I, 11	III, 32	**III, 38**		**I, 38**
La niña que se va al mar	MET I, 22	III, 31	III, 36	núm. 36	I, 36
"Recuérdame en alta mar"		III, 37	III, 44	núm. 40	I, 44
Con él ("Si Garcilaso volviera")	MET I, 12	III, 30	III, 35	núm. 35	I, 35
"La mar del Puerto viene"			III, 46		I, 46
La Virgen de los Milagros			III, 50		I, 50
"¿Para quién, galera mía?"	MET I, 13	III, 29	III, 34		I, 34
Los niños		III, 43	III, 52	núm. 49	I, 52
"Soñabas tú, que no yo" *					

2

CONTENIDO DE CADA UNA DE LAS EDICIONES DE

LA AMANTE

Según dejamos indicado en la *Noticia bibliográfica* y en la *Nota previa,* la segunda ed. de *La Amante* (LAPlut) contiene una canción más (la 32) que la primera (LALit). Por lo tanto, la numeración es la misma en ambas hasta la 31; en LAPlut, la canción inédita lleva el núm. 32, la 32 de LALit el núm. 33, y así sucesivamente. Por otra parte, la canción 68 de LALit (y 69 en LAPlut) no figura en LACont, PC ni PA: en estas dos últimas ed., pues, la numeración es la misma que en LAPlut hasta la 68 inclusive, y las dos últimas llevan los núms. 69 y 70.

En P1, P2, P3 y P4, Alberti ha incluido sólo veintisiete canciones escogidas de *La Amante,* ordenadas como sigue:

En LAPlut	En P1, P2, P3 y P4	En LAPlut	En P1, P2, P3 y P4
1	1	28	14
2	2	36	15
3	3	40	16
4	4	41	17
6	5	44	18
10	6	46	19
13	7	48	20
14	9	55	21
16	8	56	22
20	10	59	23
23	11	61	24
24	12	62	25
25	13	63	26, I
		65	26, II

CONTENIDO DE CADA UNA DE LAS EDICIONES DE EL ALBA DEL ALHELÍ

CONTENIDO DE CADA UNA DE LAS EDICIONES DE EL ALBA DEL ALHELÍ

Estampida real del vaquero y la pastora

SEGUNDO LIBRO: EL NEGRO ALHELÍ

La mal cristiana

CONTENIDO DE CADA UNA DE LAS EDICIONES DE EL ALBA DEL ALHELÍ

ÍNDICE DE PRIMEROS VERSOS

ÍNDICE DE LÁMINAS

Págs.

ESTE LIBRO
SE TERMINÓ DE IMPRIMIR
EL DÍA 3 DE SEPTIEMBRE DE 1990

clásicos castalia

ÚLTIMOS TÍTULOS PUBLICADOS